LES FÉLINS

ET LES CHATS SAUVAGES

Créé par Firecrest Books Ltd
pour AND Cartographic Publishers Ltd.
Copyright © 1998, 1999, AND Cartographic Publishers Ltd

Copyright © 1999, Éditions Place des Victoires, Paris,
pour l'édition en langue française

ISBN 2-84459-021-7

Imprimé et relié chez Partenaires, France

GRANDEUR NATURE

LES FÉLINS

ET LES CHATS SAUVAGES

Bernard Stonehouse

Illustrations de Martin Camm

Traduit de l'anglais par Arnaud Dupin de Beyssat

Place des Victoires

CRÉDITS PHOTOGRAPHIQUES

g : gauche, d : droite, c : centre, h : haut, b : bas

BBC Natural History Unit Picture Library
Pages 9b ; 11b ; 13d ; 20g ; 29b ; 41h ; 43b ; 44h ; 45c, bc

Frank Lane Picture Agency
Pages 14b ; 15 c ; 31b ; 33h ; 35b, h ; 38b ; 39b ; 44hc

Natural History Photographic Agency
Pages 15b ; 17d ; 26g ; 29d ; 33d ; 40b

Oxford Scientific Films
Pages 25h, b ; 31h ; 43d ; 44b

Robert Harding Picture Library
Pages 17b ; 41d ; 44hc

Topham Picturepoint
Pages 13c ; 23d ; 41b

Woodfall Wild Images
Pages 19d ; 21d ; 29h ; 33b ; 37b ; 39h ; 45h, hc

WorldSat
Toutes créations de cartes sur satellite

Dessins supplémentaires :
Martin Camm : couverture, pages 8-9, 14-15, 38-39
Tim Haywood (Bernard Thornton Artists) : pages 12-13, 18-19, 40-41
Susanna Addario : pages 42-43

Direction artistique et éditoriale : **Peter Sackett**

Édition : **Norman Barrett**

Maquette : **Paul Richards, Designers & Partners**

Iconographie : **Lis Sackett**

Photogravure : **Job Color, Bergame, Italie**

Impression : **Partenaires, France**

SOMMAIRE

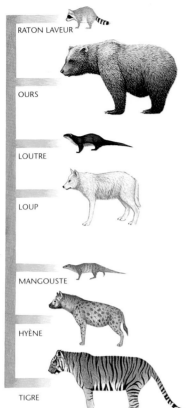

RATON LAVEUR

OURS

LOUTRE

LOUP

MANGOUSTE

HYÈNE

TIGRE

FÉLINS
ET CHATS SAUVAGES

*Grands ou petits, les félins sont des animaux magnifiques
et élégants, mais également de féroces tueurs.*

Les félins appartiennent à une famille d'animaux chasseurs que l'on classe par leur taille : les grands (lions, tigres), les moyens (ocelots, lynx) et les petits félins (lynx roux, chats domestiques). Ce sont des animaux élégants et souples à la fourrure lisse, aux oreilles proéminentes, avec un museau et une mâchoire courts, des membres élancés et, en général, une queue longue et fine. Leurs pattes sont petites, rondes et, chez la plupart des espèces, pourvues de griffes pointues et rétractiles, qui peuvent sortir à volonté pour griffer et saisir. Quelques félins ont un pelage brun ou noir, mais la plupart d'entre eux sont tachetés ou rayés, ce qui leur permet de se dissimuler dans la végétation en cas de ciel pommelé. S'ils sont parfois amateurs de baies et de fruits, leur nourriture principale est la viande des autres animaux.

ARBRE GÉNÉALOGIQUE

Les félins sont des mammifères – c'est-à-dire des animaux au sang chaud qui allaitent leurs petits.

Ils appartiennent au super-ordre (groupe majeur) des mammifères dits carnivores, ce qui veut dire « mangeurs de viande », où ils figurent dans l'ordre des Fissipèdes, ou à « pieds fendus », qui inclut tous les carnivores possédant des doigts libres aux pattes. Les Pinnipèdes (« pied en nageoire ») sont les représentants d'un autre ordre comprenant les phoques, les otaries et les morses, chez lesquels les doigts sont attachés ensemble pour former une nageoire.
Les autres carnivores à « pieds fendus » sont les ratons laveurs (Procyonidés), les ours (Ursidés), les loutres, belettes, mouffettes et blaireaux (Mustélidés), les chiens, renards, loups et chacals (Canidés), les mangoustes et civettes (Viverridés) et les hyènes (Hyénidés). Si les félins sont apparentés à tous ces carnivores, ils sont suffisamment différents pour constituer leur propre famille : les Félidés.

Tigre

Léopard

Jaguarondi

*Chat
de jungle*

Lynx

Panthère nébuleuse

LA FAMILLE DES CHATS

Les chats domestiques qui partagent notre vie appartiennent à une famille d'animaux, les Félidés – où sont regroupés les lions, les tigres, les guépards et près de 35 autres espèces. Tous les félidés présentent des similitudes : squelette, denture et modes de vie et de chasse. Les chats domestiques sont, en revanche, les plus petits membres de cette famille : le poids d'un tigre équivaut presque à celui de 80 chats !
Tous les félins ont tendance à vivre en solitaire ou dans un petit groupe familial. Sauf les grands félins des plaines africaines, ils vivent paisiblement et assez discrètement, préférant demeurer à l'écart des hommes. Leur pelage est d'une couleur adaptée à leur environnement.

DES FÉLINS ET DES HOMMES

Les félins ont toujours joué un rôle important dans la vie des hommes, non seulement à cause de leur fourrure mais également en raison de leur férocité. La plupart des grands félins – lions, tigres et léopards – chassaient les hommes primitifs et attaquaient leurs troupeaux. Reconnaissant les qualités de vaillance, de courage et de ruse des grands félins, les chasseurs croyaient alors que celui qui parvenait à tuer un de ces fauves était au moins aussi vaillant, courageux et rusé que lui. Certains petits félins, comme les guépards et les caracals, capturés jeunes et élevés par l'homme, ont pu être apprivoisés et utilisés pour la chasse au bénéfice des rois et des riches propriétaires terriens. Les chats étaient employés pour garder la ferme et la maison et les débarrasser des rongeurs nuisibles.

Où vivent les félins ?

On trouve des félins sauvages dans tous les pays tempérés et tropicaux – Amérique du Nord et du Sud, Afrique, Europe et Asie – où ils se répartissent dans de très nombreux types d'habitat : forêts, prairies ou plaines. Les uns vivent dans les déserts chauds, les autres à proximité des rivières ou sur les rives des lacs ; certains apprécient le froid extrême des régions de haute montagne, mais aucun félin n'habite dans l'Arctique ou l'Antarctique. On ne trouve aucun d'entre eux en Australie, en Nouvelle-Zélande ou en Nouvelle-Guinée, car ces îles ont été séparées des autres continents bien avant leur apparition. Ainsi, alors qu'ils ont pu se répandre librement de l'Asie à l'Europe, à l'Afrique et à l'Amérique du Nord ou du Sud, ils n'ont jamais pu atteindre ces terres éloignées.

ADAPTÉS POUR LA CHASSE

Chaque espèce de félin présente une silhouette et une taille adaptées à sa stratégie de chasse et à ses différentes proies. Les grands félins chassent plutôt de grands mammifères, comme le cerf ou l'antilope, les autres attrapent écureuils, rats, souris, oiseaux, insectes, etc. Capables de courir vite, de sauter et de monter aux arbres, les félins bondissent sur leurs proies, qu'ils immobilisent à terre grâce à leurs puissantes griffes et qu'ils tuent en les mordant à la gorge grâce à leurs puissantes mâchoires et à leurs crocs acérés. Leurs dents carnassières fonctionnent comme des ciseaux pour déchiqueter la viande avant qu'elle ne soit rapidement digérée par de forts acides dans l'estomac de l'animal.

Lionne en chasse dans les hautes herbes d'Afrique.

Serval

Jaguar

Guépard

Lion

Chat sauvage

Ocelot

COMMENT RECONNAÎTRE UN FÉLIN ?

Les félins des différentes espèces ont une silhouette et des signes distinctifs particuliers, parfaitement adaptés à leur environnement et à leur mode de vie.

INFORMATIONS

SERVAL

Type :	Carnivores
Famille :	Félidés
Genre :	Felis
Nom latin :	*Felis serval*
Couleur :	Fauve pâle ou crème avec de grandes rayureset des taches noires
Longueur :	Jusqu'à 1 m, queue comprise
Poids :	Jusqu'à 10 kg
Habitat :	Savane, contrées semi-désertiques, forêt
Localisation :	La plus grande partie de l'Afrique, au sud du Sahara

GRANDS ET PETITS FÉLINS

Le tigre, le plus grand représentant de la famille des Félidés, mesure jusqu'à 3 m de longueur, du nez à la pointe de la queue, et peut peser jusqu'à 300 kg. À l'opposé, le plus petit félin – le chat à pattes noires d'Afrique du Sud – mesure moins de 70 cm de longueur et pèse près de 1,5 kg, soit environ la moitié d'un chat domestique. Aujourd'hui, les tigres ou les lions les plus grands n'atteignent pas les mensurations de certains lions des cavernes qui vivaient il y a près de 15 000 ans et qui ont dû mesurer jusqu'à 4 m de long et peser plus de 300 kg. Les genres de félidés ne se différencient pas uniquement par la taille mais aussi par certains détails de l'anatomie et du comportement. Par exemple, les animaux appartenant au genre *Panthera* ont un larynx particulier qui leur permet de rugir mais pas de ronronner, alors que ceux du genre *Felis* (notamment les chats domestiques) savent miauler et ronronner mais pas rugir. Les différences et les similitudes entre les individus de chaque espèce entraînent de sérieuses discussions entre zoologues : nous pensons qu'ils peuvent être regroupés sous un genre unique, celui des *Felis*.

Grands ou petits, et quel que soit l'endroit où ils vivent, tous les félins du monde se ressemblent étrangement. Qu'il s'agisse des lions, des guépards ou des chats domestiques, il ne fait aucun doute qu'ils appartiennent à la même famille. D'une manière générale, les caractéristiques physiques permettant de les reconnaître sont :
• une tête ronde avec de grands yeux orientés vers l'avant,
• un nez court, camus et pointu, avec une peau rose ou noire,
• des oreilles droites et pointues,
• de longues moustaches sur les lèvres supérieures, de chaque côté du nez,
• des membres longs et minces,
• de petites pattes rondes avec des griffes rétractiles aiguisées,
• une queue souvent longue et flexible,
• Un pelage court, souvent tacheté ou rayé.

Ce félin est un serval, un animal mesurant 50 cm de hauteur à l'épaule. Bien qu'il s'agisse à l'évidence d'un félin, il a un cou relativement long, de très grandes oreilles et une queue courte annelée de rayures noires. Les servals vivent en Afrique, où ils occupent une grande diversité d'habitats, de la savane à la forêt. Leur pelage fauve pâle ou crème, abondamment marqué de grandes taches noires et de rayures, les rend presque invisibles lorsqu'ils sont allongés paisiblement à l'ombre (voir pages 34-35).

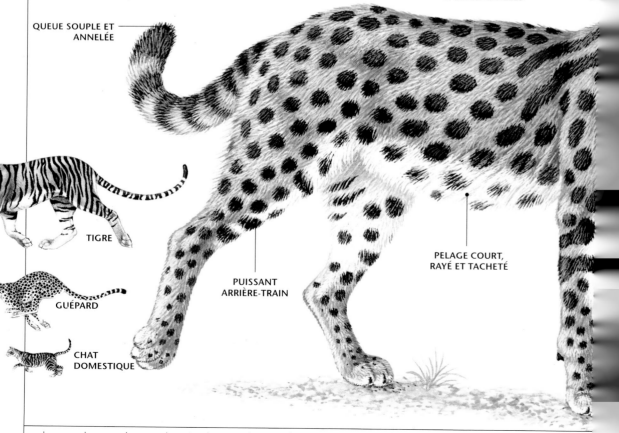

OREILLES POINTUES DRESSÉES

COURTE TÊTE RONDE

GRANDS YEUX TOURNÉS VERS L'AVANT

CANINES EFFILÉES

QUEUE SOUPLE ET ANNELÉE

TIGRE

GUÉPARD

CHAT DOMESTIQUE

PUISSANT ARRIÈRE-TRAIN

PELAGE COURT, RAYÉ ET TACHETÉ

Dents et griffes

DEUX GENRES

La famille des Félidés se compose de près de 39 espèces ou races différentes de félins, auxquelles beaucoup d'autres, que l'on ne connaît que par leur forme fossile, s'ajoutent. Les zoologues répartissent les espèces vivantes en deux genres, *Panthera* et *Felis* :

• le genre *Panthera* comprend 13 espèces, la plupart étant des grands félins pesant plus de 50 kg environ,

• le genre *Felis* se compose de 26 espèces, représentées pour la plupart par de petits félins pesant le double ou le triple du poids d'un chat domestique.

Le serval que l'on voit ici est un individu représentatif du genre *Felis*, celui des petits félins.

• Le nez et la mâchoire inférieure des félins sont beaucoup plus courts que ceux des chiens. C'est pourquoi ils se fient plus à leur vue et à leur ouïe qu'à leur odorat pour chasser.

• Leurs canines acérées leur permettent de mordre puissamment leur proie en la maintenant au sol.

• La courte mâchoire est, grâce à ses prémolaires coupantes, un outil très efficace pour déchiqueter la viande.

• La rondeur de la tête est due aux puissants muscles de la mâchoire.

• La langue a une surface rugueuse, qui permet à l'animal de gratter la viande sur les os et de nettoyer sa fourrure.

• Les moustaches sont sensibles aux courants d'air et autres faibles vibrations.

• Les yeux disposent d'une couche intérieure réfléchissante qui amplifie la lumière quand elle est faible.

• Les pupilles des félins s'ouvrent dans l'obscurité et se ferment à la lumière vive. Certains félins, par exemple le chat domestique, ont des pupilles qui se réduisent en une fente verticale. Chez d'autres, les pupilles restent arrondies.

• Les oreilles peuvent s'orienter pour détecter et distinguer des sons très faibles.

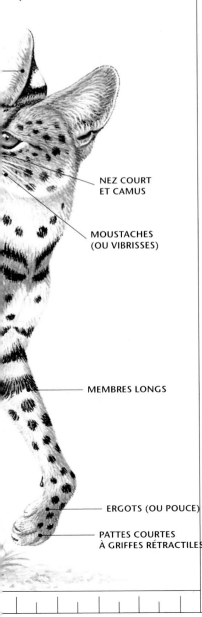

NEZ COURT
ET CAMUS

MOUSTACHES
(OU VIBRISSES)

MEMBRES LONGS

ERGOTS (OU POUCE)

PATTES COURTES
À GRIFFES RÉTRACTILES

LES GRIFFES DES FÉLINS

Les félins marchent sur la « pointe des pieds ». Leurs pattes rondes comprennent quatre doigts ; un cinquième doigt – le pouce – permet à l'animal de maintenir solidement sa proie. Les os du poignet et de la cheville allongent les membres, ce qui donne au félin cette foulée longue et gracieuse et lui permet de courir plus vite.

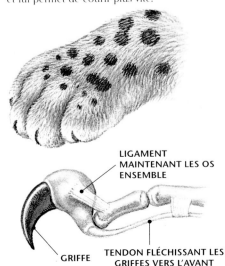

LIGAMENT
MAINTENANT LES OS
ENSEMBLE

GRIFFE

TENDON FLÉCHISSANT LES
GRIFFES VERS L'AVANT

LES SOUS-ESPÈCES

Les tigres qui peuplent les différentes régions d'Extrême-Orient sont variables en taille, en couleur et autres caractéristiques physiques. Les zoologues regroupent ces individus en sous-espèces, ajoutant un troisième nom à leur nom de famille officiel grec ou latin. Ainsi, alors que tous les tigres sont appelés *Panthera tigris*, le tigre de Sibérie – grand, de couleur plus pâle – appartient à la sous-espèce dite *Panthera tigris altaica*, tandis que le tigre du sud de la Chine – plus petit – est appelé *Panthera tigris amoyensis*. Nombre d'espèces locales, par exemple les populations de tigres qui vivaient dans les îles indonésiennes de Bali (*Panthera tigris balica*) et de Java (*Panthera tigris sondaica*), ont aujourd'hui probablement disparu.

Tigre de Sibérie – une des nombreuses sous-espèces de tigres.

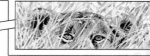

INFORMATIONS

Type :	Carnivores
Famille :	Félidés
Genre :	Panthera
Nom latin :	*Panthera leo*
Couleur :	Brun sable uni ; taches sombres uniquement chez les jeunes
Longueur :	2,70 m en moyenne
Poids :	Jusqu'à 240 kg
Habitat :	Savane chaude et contrées semi-désertiques
Localisation :	Afrique tropicale ; sanctuaire de la forêt de Gir, dans le Gujarât (Inde)

LIONS

Le lion – le « roi des animaux » – était autrefois répandu dans toute l'Europe et l'Asie. Aujourd'hui, ces magnifiques créatures ne se rencontrent plus qu'en Afrique et dans une petite région de l'Inde.

QUELQUES FAITS

On retrouve la trace de lions fossiles ayant vécu au nord de l'Europe dans des roches datant de près de 500 000 ans. Plus grands que les lions actuels, ils vivaient probablement dans des grottes et occupaient un territoire assez vaste, qui s'étendait jusqu'au nord de la Grande-Bretagne. On a retrouvé leur trace en France et ailleurs grâce à des dessins sur les parois des grottes préhistoriques. A cette même période, des lions semblables ou un peu plus petits vivaient également en Afrique, au Moyen-Orient et en Inde. Les progrès de la civilisation ont fait disparaître les lions d'Europe il y a près de 2 000 ans. Encore nombreux en Asie jusque dans les années 1800, leur chasse systématique en Arabie, en Perse et en Inde a conduit à leur quasi-disparition en 1900. Près de 200 lions d'Asie seulement survivent, au Gujanât, en Inde, dans une réserve naturelle, le Gir Forest Wildlife Sanctuary. Les lions d'Afrique sont encore nombreux, notamment les grands lions de Barbarie et les lions à pattes noires de la province du Cap, en Afrique du Sud.

Le lion, symbole de puissance.

Si les lions peuvent occuper divers types d'habitat tropicaux, des forêts clairsemées aux contrées semi-désertiques, ils semblent préférer les plaines herbeuses et la savane. Ils vivent en formant un groupe familial, le « clan » ; le petit clan que l'on voit ici se compose d'un mâle et de trois lionnes adultes, et de quatre jeunes (deux de quelques semaines et deux autres d'un an environ). Des clans plus importants peuvent rassembler plus de femelles et de jeunes pour un même mâle adulte. Le mâle est souvent plus grand et plus lourd que sa femelle, et sa crinière de longs poils le rend plus impressionnant. Le clan est dominé par un mâle adulte qui, par ses rugissements, ses menaces et quelques attaques dissuasives, écarte les autres mâles. Le clan se déplace lentement sur son vaste territoire de chasse, délimité par l'odeur de leur urine pour avertir les autres clans de rester à l'écart. Ce territoire enferme des troupeaux d'antilopes, de girafes, de buffles, de zèbres et autres ruminants, qui constituent la principale alimentation des lions.

Où vivent les lions ?

La vie en clan permet de protéger les petits et les jeunes lions des prédateurs comme les léopards, les hyènes et les chacals. Les lionnes, plus actives que les mâles, chassent fréquemment en groupe, partagent leurs prises et s'occupent ensemble des lionceaux.

La crinière des jeunes mâles commence à pousser à 1 an ou 2. Ils quittent alors le clan et partent en solitaire. Deux ou trois ans après, leur crinière est totalement développée et ils ont fondé leur propre clan.

NOURRITURE

Les lions chassent rarement pendant les heures chaudes de la journée. Se nourrissant principalement de ruminants, ils se promènent lentement autour des troupeaux, restant à proximité mais sans les déranger, puis se reposent à l'ombre pour conserver leur énergie. Le soir venu, les femelles commencent la traque, isolant rapidement l'antilope ou le zèbre qui traîne à l'arrière du troupeau. Travaillant de concert, elles se déplacent silencieusement, presque en rampant, jusqu'à s'approcher à quelques mètres de leur victime, puis elles bondissent sur le dos de l'animal et le terrassent rapidement d'une puissante morsure ou d'un violent coup de patte.

PARESSEUX ? AMICAL ?

Si les lions semblent souvent s'ennuyer dans leur cage au zoo, ils vivent généralement assez bien en groupe dans les parcs naturels ou les réserves aménagées en Afrique, en Europe et ailleurs. Mais que ce soit dans un parc ou en pleine nature, soyez très prudent lorsque vous observez des lions. S'ils vous rappellent votre chat par leur attitude paresseuse ou indifférente, ils sont extrêmement dangereux. En voiture ou dans un minibus, laissez les fenêtres fermées et ne songez pas une seconde à vous promener parmi eux pour les caresser. Leur inactivité leur permet d'économiser des forces et ils n'aiment pas du tout les étrangers.

Presque tous les lions sauvages du monde vivent en Afrique, au sud du Sahara, principalement dans les savanes, les plaines herbeuses et les forêts clairsemées. Bien que leur population ait été fortement réduite à cause de la chasse, ils demeurent encore nombreux dans les parcs nationaux et les réserves. Ces fauves sont habitués aux hommes et continuent de vaquer à leurs occupations comme si de rien n'était à proximité des jeeps ou des minibus. En dehors des réserves protégées, la population locale sait où rôdent les lions, ne serait-ce que pour protéger ses troupeaux et se tenir à l'écart de leur passage.

Il ne subsiste qu'une petite population de lions d'Asie en liberté protégée dans la forêt de Gîr, dans le parc national du Gujarât, en Inde.

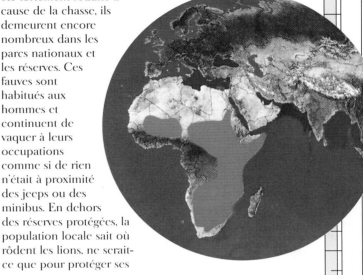

LA REPRODUCTION

La lionne est apte à se reproduire dès l'âge de trois ou quatre ans. Lorsqu'elle est prête à s'accoupler, elle dégage une odeur particulière qui invite les mâles à la suivre. Les caresses du mâle stimulent ses ovaires, qui libèrent alors de petits œufs dans les oviductes où ils seront fertilisés par les spermatozoïdes du mâle. Trois ou quatre de ces œufs s'accrochent aux parois de l'utérus, où ils se développent en embryon, parvenus à maturité en 17 semaines. La femelle s'éloigne du clan pour mettre bas. Les petits, pesant 1,4 kg environ, naissent aveugles et sans défense mais ont une fourrure tachetée qui leur permet de se camoufler. Lorsque la mère part chasser pour se nourrir, elle laisse les lionceaux cachés dans leur tanière. Si elle a besoin de se déplacer, elle les transporte un par un dans sa gueule. Nourris de son lait, d'une composition très riche, les petits grandissent vite et sont vifs à 3 ou 4 semaines et, au bout de 6 ou 7 semaines, assez forts pour rejoindre le clan avec leur mère.

LES TIGRES

Grand chasseur des forêts et des montagnes d'Asie, prêt à bondir sur toutes les proies qui passent à sa portée, le tigre est le plus grand et le plus dangereux des félins.

INFORMATIONS

Type :	Carnivores
Famille :	Félidés
Genre :	Panthera
Nom latin :	*Panthera tigris*
Couleur :	Gris à orange fauve, plus pâle sur le ventre, rayures noires très marquées
Longueur :	Jusqu'à 3 m
Poids :	Jusqu'à 300 kg
Habitat :	Prairies herbeuses de climat chaud et contrées semi-désertiques
Localisation :	Est de l'Asie : nord-est de la Sibérie, Chine, Inde, Bangladesh, Népal, Bhoutan, péninsule malaise, Thaïlande, Java et Sumatra

PROTÉGER LES TIGRES

En 1972, le World Wildlife Fund a lancé l'Opération Tigre, une grande campagne de protection des huit sous-espèces de tigres du monde. Les estimations ont montré que le nombre de tigres dans le monde est passé de 100 000 individus environ en 1920 à 30 000 en 1960, pour descendre sous la barre des 5 000 animaux en 1970 et entre 5 000 et 7 000 en 1999. Cette diminution concernait toutes les espèces, certaines étant même proches de l'extinction.

Tigre de Sibérie dans la neige.

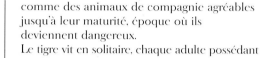

Le tigre, plus que le lion sans doute, est pour chacun le symbole même de l'animal sauvage courageux, astucieux, rusé et indomptable. Ce fauve est un chasseur polyvalent et redoutable qui, plus vif et plus actif que le lion, s'attaque à presque toutes les proies possibles.

Le tigre se repose pendant les heures chaudes de la journée et chasse le soir ou la nuit, lorsqu'il fait plus frais. Les jeunes tigres apprennent à chasser avec leur mère au cours des deux ou trois premières années de leur vie. Le tigre adulte se déplace suffisamment vite pour rattraper des sangliers et est assez puissant pour briser le cou des antilopes et autres grands ruminants d'un seul coup de dents. Amateur de singes, il sait attendre patiemment à l'affût qu'une proie passe à sa portée et peut alors bondir jusqu'à 4 m de hauteur pour la saisir parmi les branches. Il est également capable d'attraper des oiseaux en vol et de « cueillir » des poissons et des tortues dans les rivières avec ses pattes. Certains savent retourner des porcs-épics sans se blesser avec leurs épines. Les tigres sont plus intelligents que les lions et plus faciles à apprivoiser. Les zoologues qui ont pu en dresser les considèrent

comme des animaux de compagnie agréables jusqu'à leur maturité, époque où ils deviennent dangereux.

Le tigre vit en solitaire, chaque adulte possédant

Où vivent les tigres ?

Tigre indien dans les hautes herbes.

QUELQUES FAITS

Le lion et le tigre, les deux plus grands félins vivant sur terre, sont très proches, au point qu'il est parfois difficile de différencier les os de leur squelette. Leur crâne et les ossements fossiles sont très semblables. Bien qu'il soit peu probable qu'ils se rencontrent à l'état sauvage, ils peuvent se croiser avec succès en captivité

Lion

Tigre

(voir ci-contre).
Les lions vivent essentiellement à découvert dans de vastes plaines, tandis que les tigres préfèrent se cacher dans les bois et les prairies de hautes herbes. Les tigres se répartissent sur une vaste zone géographique allant des forêts tropicales chaudes du centre de l'Inde aux forêts montagneuses et froides de la Sibérie. On a défini huit sous-espèces locales dont trois ont disparu et trois autres sont proches de l'extinction totale.

de Sumatra

de Sibérie

Motif des rayures des tigres de Sumatra et de Sibérie.

un territoire ou une zone qu'il patrouille et dont il marque les limites de son urine. Lorsque les proies sont abondantes, son territoire couvre seulement quelques kilomètres carrés et se parcourt en une journée. Si le gibier est plus rare, cette zone peut s'étendre sur 60 km de large et près du double en longueur. Si deux territoires se chevauchent, comme cela semble être souvent le cas, les deux animaux ne cherchent pas à s'affronter mais restent prudemment à l'écart l'un de l'autre, sauf pour partager occasionnellement une proie. Le tigre a peu d'ennemis naturels à l'exception de l'homme, le seul qui soit véritablement dangereux pour lui.

REPRODUCTION

Tigres et tigresses ne se rencontrent que lorsque les femelles sont prêtes à l'accouplement ; ils restent ensemble 1 à 2 semaines. Après une période de gestation de 16 semaines, la mère met bas 3 à 4 petits, rayés dès leur naissance, qui pèsent chacun quelque 1,5 kg. Ils commencent à manger de la viande après une période d'allaitement de 6 semaines environ. Turbulents et joueurs dès 12 semaines, ils suivent alors partout leur mère et explorent avec elle le monde qui les entoure avant de l'accompagner à la chasse, à l'âge de six ou sept mois. Cette période d'apprentissage est particulièrement dure et seule la moitié des jeunes y survit. Les petits tigres se débrouillent et chassent seuls à l'âge de 2 ans et parviennent à leur pleine maturité à 3 ans.

Il y a longtremps, les tigres étaient nombreux dans les régions forestières de l'est de la Turquie, le long des côtes méridionales de la mer Caspienne, en Iran, en Afghanistan et en Inde jusqu'en Birmanie (Myanmar), à Sumatra, Java et Bali en Asie du Sud-Est, ainsi qu'au centre de la Chine et au nord de la Mandchourie et de la Sibérie. Ces territoires se sont réduits progressivement à cause de l'exploitation des forêts par l'homme et de leur transformation en terres cultivables. Des milliers de tigres ont été exterminés depuis cent ans lors de chasses sportives, pour protéger le bétail et les villages ainsi que pour leur fourrure. Les tigres sont désormais plus rares dans toutes ces régions, et certaines espèces sont aujourd'hui éteintes ou n'ont de représentants que dans des zoos.

LIGRES, TIGRONS ET LÉOPONS

Les lions et les tigres se reproduisent facilement en captivité ou dans les réserves naturelles. Dans les zoos, qui ne possèdent qu'un ou deux individus de chaque espèce, ils se croisent librement et produisent des petits ayant un pelage aux couleurs et aux rayures très diverses. Le petit d'un lion et d'une tigresse s'appelle un « ligre » alors que le petit d'un tigre et d'une lionne est un « tigron ». Les ligres et les tigrons sont viables et peuvent parvenir à pleine maturité. Des lions et des léopards ont aussi été croisés ; leurs petits sont les « léopons ».

INFORMATIONS

Type :	Carnivores
Famille :	Félidés
Genre :	Panthera
Nom latin :	*Panthera pardus*
Couleur :	Jaune pâle ou orangé avec des taches noires ; rarement entièrement noir
Longueur :	Jusqu'à 2,30 m
Poids :	Jusqu'à 70 kg
Habitat :	Broussailles, bush et forêt, saillies rocheuses couvertes de broussailles
Localisation :	Toute l'Afrique sauf le Sahara, Inde, Chine, Asie du Sud-Est

QUELQUES FAITS

Le léopard est plus mince, plus agile et plus souple que ses cousins le lion et le tigre mais est notablement plus petit, avec des membres plus courts et une queue proportionnellement plus longue. La tête du léopard est assez large, avec des oreilles petites, rondes et très écartées. Ses pattes, assez épaisses, sont bien matelassées et pourvues de griffes acérées qui lui permettent de maintenir sa proie au sol et de grimper facilement aux arbres.
La fourrure du léopard est constellée de taches, soit uniques soit groupées en « rosettes », c'est-à-dire des cercles de deux, trois ou quatre taches (voir « Les taches du léopard », page 17), réparties sur toute la surface de la fourrure, du poitrail à la pointe de la queue.
Le léopard est parfois appelé « panthère », un terme qui peut s'appliquer à n'importe quelle espèce de léopard mais qui désigne plus généralement les léopards à fourrure sombre ou noire. Il ne s'agit pas d'une espèce différente mais uniquement d'individus particuliers qui apparaissent parfois dans des portées de jeunes de couleur normale. Si les véritables « panthères noires » ont un pelage effectivement très sombre, on peut parfois y déceler les taches noires caractéristiques du léopard.

LES LÉOPARDS

Parfois visibles, souvent invisibles, les léopards restent silencieusement tapis à l'affût en lisière de forêt jusqu'au moment de passer à l'attaque.

Si vous vous promenez dans une région où vivent de nombreux léopards, observez bien les saillies rocheuses et les basses branches des arbres. Soyez très attentif aux hautes herbes, car il n'y a pas d'animal plus difficile à repérer qu'un léopard au repos par un bel après-midi ensoleillé.
La fourrure du léopard est d'une couleur assez proche de celle des tigres, à la différence près qu'elle comporte des taches et non des rayures. Dans la pénombre, son camouflage lui permet de se confondre parfaitement dans le décor lorsqu'il part chasser le soir.
Le léopard vit seul la plupart du temps. Il se déplace silencieusement avec une grande discrétion, mais très rarement en plein soleil. Il préfère demeurer à l'ombre dans un endroit abrité et sûr où il peut se reposer paisiblement dans la journée, tout en restant aux aguets du moindre bruit. Ce n'est qu'au soir et à l'aube, lorsque ses proies sont occupées qu'il devient un redoutable chasseur.
Il se réveille alors tranquillement, baille, s'étire et aiguise ses griffes sur une branche basse ou le tronc d'un arbre. Puis il s'installe à l'affût, souvent dans un arbre, sur le passage des petits mammifères qui constituent sa principale nourriture : cervidés, antilopes ou singes. Une fois sa prochaine victime repérée, il glisse

Où vivent les léopards ?

Léopard à l'affût.

Le léopard aime vivre dans les forêts clairsemées, les plaines herbeuses et la brousse, mais évite les déserts, où il y a trop peu de nourriture. On le rencontre dans toute l'Afrique (à l'exception du Sahara), depuis les montagnes de l'Atlas au nord jusqu'à la pointe méridionale du continent, ainsi que dans le sud de l'Asie, de la Turquie à l'Inde, en Indochine, en Chine, en Malaisie et en Corée. L'expansion humaine dans ces régions a réduit le nombre des léopards, qui ne sont d'ailleurs plus très nombreux et se raréfient même dans certains pays. Ils sont également souvent chassés, autant pour leur précieuse fourrure que pour les méfaits qu'ils causent aux troupeaux d'animaux domestiques. Aujourd'hui, vous aurez sans doute plus de chance de voir des léopards dans les réserves naturelles et autres parcs nationaux, où ils sont à l'abri des braconniers.

doucement au sol, s'approche d'elle silencieusement et lui bondit brusquement sur le dos pour la déséquilibrer en la mordant au cou.

Le léopard dispose de deux longues et puissantes canines situées de chaque côté de la mâchoire, capables de percer les cuirs les plus épais. Derrière se trouvent les carnassières, des dents aiguisées et coupantes qui déchiquettent la viande. Après avoir dévoré en partie sa victime, le léopard traîne généralement ce qui reste de la carcasse parmi les rochers ou dans les broussailles, ou la remonte dans son arbre et l'allonge sur une branche où elle restera à l'abri des autres prédateurs en attendant qu'il ait fini de la dévorer.

REPRODUCTION

Le léopard est un animal solitaire, qui ne rencontre ses congénères que pendant la période d'accouplement. Chaque léopard a son propre territoire ou zone de chasse, qui peut d'ailleurs chevaucher celui d'autres félins et dont les limites sont marquées par les déjections de chaque individu. Lorsqu'une femelle est prête à s'accoupler, l'odeur de son urine change pour avertir les mâles voisins. Elle peut alors s'unir à plusieurs individus avant de repartir chasser en solitaire. Après une période de gestation de 13 semaines, la femelle léopard met au monde de 1 à 4 petits, qu'elle dissimule dans un coin abrité et tranquille entre des rochers ou parmi les broussailles. Elle les nourrit d'abord de son lait, puis les habitue à la viande qu'elle rapporte à sa tanière. Elle peut élever jusqu'à 4 petits si les proies sont abondantes ; sinon les membres les plus faibles de la portée meurent.

Léopard noir, également appelé panthère

LES TACHES DU LÉOPARD

Rapprochez votre pouce et trois de vos doigts, en gardant un léger espace entre eux, puis plongez-les dans de la suie ou de la peinture noire. Il vous suffit alors de faire des marques en posant un, deux, trois ou tous les doigts sur un papier jaune pour obtenir le genre de tache que l'on voit sur la fourrure d'un léopard. Ces taches ont l'air de le rendre très visible mais lui servent à se camoufler.

LÉOPARDS DES NEIGES, PANTHÈRES LONGIBANDES ET CHATS MARBRÉS

INFORMATIONS
LÉOPARD DES NEIGES (ONCE)

Type :	Carnivores
Famille :	Félidés
Genre :	Panthera
Nom latin :	*Panthera uncia*
Couleur :	Blanc et jaune avec des taches et des rayures noires
Longueur :	Jusqu'à 2,30 m
Poids :	Inconnu
Habitat :	Pentes montagneuses jusqu'à 3 000 m environ
Localisation :	Régions montagneuses du sud de la Russie, du Tibet et d'autres régions de Chine

PANTHÈRE NÉBULEUSE (LONGIBANDE)

Type :	Carnivores
Famille :	Félidés
Genre :	Panthera
Nom latin :	*Neofelis nebulosa*
Couleur :	Brun-roux ou jaune avec des taches et des rayures noires ; ventre blanc
Longueur :	2 m
Poids :	20 kg
Habitat :	Forêts tropicales épaisses
Localisation :	Népal, sud de la Chine, Malaisie, Sumatra, Bornéo

CHAT MARBRÉ

Type :	Carnivores
Famille :	Félidés
Genre :	Panthera
Nom latin :	*Pardofelis marmorata*
Couleur :	Brun-roux avec marbrures plus sombres, anneaux et taches noires
Longueur :	1 m
Poids :	Environ 5 kg
Habitat :	Forêts épaisses d'altitude
Localisation :	Népal, Birmanie, Malaisie, Indonésie

Aucune de ces trois espèces de félins du type léopard n'a de véritable lien de parenté avec le vrai léopard (pages 16-17) même s'ils se ressemblent tous par la couleur, le dessin des taches et le mode de vie. Le léopard des neiges (parfois appelé « once ») est sans doute le plus proche du vrai léopard par la taille, la couleur et le pelage. Presque aussi grand que le léopard, il est toutefois plus élancé et possède une queue proportionnellement plus longue. La différence la plus évidente, et la caractéristique la plus frappante de ces félins, est leur magnifique et épaisse fourrure qui, en s'épaississant aux membres et à la queue, les fait paraître plus imposant qu'ils ne le sont en réalité.

Le léopard des neiges vit dans les hautes régions montagneuses de l'Asie centrale, avec un climat chaud en été (mais des nuits froides et venteuses) et très froid et neigeux l'hiver. Sa fourrure s'épaissit d'ailleurs de 5 à 10 cm en hiver pour mieux supporter les rigueurs du climat. Le léopard des neiges vit essentiellement dans des régions sauvages, à l'écart des hommes, où il occupe un territoire de plusieurs

Où vivent-ils ?

Panthère longibande à la chasse.

kilomètres carrés. Il se nourrit essentiellement d'oiseaux et de mammifères de petite taille (des souris aux chèvres des montagnes), qu'il traque dans les rochers et les broussailles. Après s'être accouplé à la fin de l'été, la femelle met bas une portée de deux ou trois petits au printemps.

Léopards des neiges

Le léopard des neiges vit principalement dans les régions montagneuses qui s'étendent de l'Iran à l'ouest, au sud de la Chine à l'est, en comprenant le sud de la Russie et le Tibet. Ce sont des contrées sauvages, où il est pratiquement impossible de compter les animaux, voire d'estimer leur nombre, à tel point que nous ne savons pas combien de léopards des neiges y vivaient autrefois, ni combien s'y trouvent de nos jours. Nous savons cependant que plusieurs milliers d'entre eux ont été massacrés pour leur fourrure, provoquant une chute de leur démographie et une réduction de leur aire de répartition.

La panthère longibande et le chat marbré vivent dans les forêts du Népal, le nord de l'Inde, la Birmanie, la Malaisie, l'Indonésie et le sud de la Chine : des régions où il est difficile de les dénombrer.

La survie de ces deux espèces est également menacée, non seulement à cause de leur fourrure, très recherchée, mais aussi en raison de l'exploitation intensive des forêts qui constituent leur habitat.

▧	Léopard des neiges
▧	Panthère longibande
▧	Chat marbré

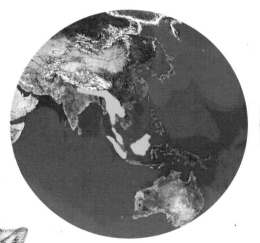

LES CHATS DES FORÊTS

La panthère longibande est plus petite que le léopard des neiges, et le chat marbré a la taille d'un gros chat domestique. Les marques sur leur pelage sont assez semblables, comme par exemple les points et les rosettes, ainsi que ces grandes taches sombres bordées de noir.

Habitant les forêts tropicales d'Asie, la panthère longibande et le chat marbré sont deux espèces assez agiles pour grimper aux arbres, dans les branches desquels ils passent le plus clair de leur temps et qu'ils préfèrent au sol humide et sombre de la jungle. Ils n'en descendent que pour chasser dans les zones plus clairsemées et près des rivières.

Ils se nourrissent principalement d'oiseaux, de singes et d'autres petits mammifères, ainsi que de lézards arboricoles. Bien que les panthères longibandes restent à l'écart de toute population humaine, elles peuvent attaquer des moutons, des poulets et autres animaux domestiques à proximité des villages.

Chat marbré

Panthère longibande

LES LYNX DE L'ANCIEN MONDE

Le lynx et son cousin le caracal se distinguent des autres félins par la touffe de poils de leurs oreilles et leur courte queue.

INFORMATIONS

LYNX COMMUN (D'EURASIE)

Type :	Carnivores
Famille :	Félidés
Genre :	Panthera
Nom latin :	*Lynx lynx*
Couleur :	Brun-jaune avec des taches grises et noires
Longueur :	1,20 m
Poids :	25 kg
Habitat :	Forêts tempérées
Localisation :	Scandinavie, Balkans, Espagne, Europe de l'Est, Sibérie, nord de la Chine, Moyen-Orient, Turquie

CARACAL (LYNX D'AFRIQUE)

Type :	Carnivores
Famille :	Félidés
Genre :	Panthera
Nom latin :	*Lynx caracal*
Couleur :	Brun-roux uni, ventre pâle, oreilles, sourcils et nez noirs
Longueur :	75 cm
Poids :	16 kg
Habitat :	Désert et savane
Localisation :	Une grande partie de l'Afrique et du Moyen Orient, sud de la Russie, Inde

QUELQUES FAITS

Le lynx est un félin de taille moyenne au corps robuste et à la queue courte. Il se distingue notamment des autres félins par ses longues oreilles effilées, terminées par une touffe de poils. On le trouve essentiellement dans les forêts et les déserts tempérés de l'Ancien et du Nouveau Monde (voir page 21). Si le véritable lynx habite essentiellement en Europe, de l'Espagne à la Sibérie, le caracal ne se rencontre que dans les contrées semi-désertiques de l'Afrique, de la Turquie et de l'Inde. Les lynx du Nouveau Monde sont décrits pages 22 et 23.

Le lynx est un félin puissant et musclé, de taille moyenne, avec des membres trapus et une queue étrangement courte. Il possède généralement une fourrure abondante à poils longs, surtout en hiver, dont la couleur peut varier du brun jaunâtre au roux. La densité et la netteté des taches sont variables selon les parties du corps. Le lynx d'Espagne a les taches les plus sombres. La fourrure qui s'épaissit sur les joues et le cou du lynx fait paraître sa tête presque carrée. Ses longues oreilles, terminées par une touffe de poils souvent plus sombres que le pelage, se dressent lorsqu'il est à l'affût et lui permettent de repérer ses victimes.

Le lynx vit en forêt, près des plantations ou dans des régions plus sèches, au milieu des broussailles de la steppe et des terrains rocailleux. Il chasse à l'approche, le soir et à l'aube, se précipitant brusquement sur sa proie en quelques bonds.

Les cervidés, les lièvres et autres petits mammifères constituent sa principale alimentation, outre les oiseaux et les poissons des cours d'eau.

Le caracal, dont la silhouette rappelle celle du lynx, est plus petit et souvent plus mince. Il a une fourrure rousse unie, sans taches, une queue longue et des membres fins. Le caracal est un animal agile, plus rapide que puissant.

À l'instar du lynx, il occupe une grande partie de l'Ancien Monde, toute l'Afrique et le sud de l'Asie, où il préfère les déserts, les savanes et les plaines herbeuses plutôt que la forêt. Il court suffisamment vite pour rattraper lièvres et antilopes, et peut faire des sauts de un ou deux mètres pour attraper des oiseaux en plein vol.

Lynx et caracal ont des portées de deux ou trois petits, qu'ils dissimulent dans les sous-bois pour les protéger des prédateurs.

Lynx sortant de la forêt.

Lynx commun (d'Eura...

ANCIEN ET NOUVEAU MONDES

Ancien Monde est le nom que l'on attribue à l'ensemble constitué par l'Europe, l'Asie et l'Afrique, par opposition au Nouveau Monde, qui correspond aux Amériques du Nord et du Sud. Il y a plusieurs millions d'années, ces continents étaient réunis pour n'en former qu'un, appelé Gondwana, où les animaux – essentiellement des reptiles – pouvaient circuler librement. Puis le Gondwana s'est disloqué en plusieurs morceaux et les deux Mondes ont été séparés par un grand bassin, l'océan Atlantique. Les animaux terrestres ne pouvant plus passer de l'un à l'autre, les espèces d'oiseaux et de mammifères qui habitaient sur chacun des continents ont évolué différemment. Il y eut toutefois des croisements entre les espèces des deux vastes territoires lorsqu'une « passerelle » de terre resta émergée

Caracal

à l'extrémité nord du Pacifique (à l'emplacement de l'actuel détroit de Béring) pendant près d'un million d'années. Quelques-uns des mammifères vivant en Asie purent ainsi passer en Amérique du Nord (et réciproquement), ce qui est notamment le cas du lynx. Puis le niveau de la mer s'éleva et la « passerelle » entre les deux continents disparut, ce qui explique que l'on trouve des lions et des tigres dans l'Ancien Monde mais pas dans le Nouveau Monde, et des jaguars dans le Nouveau Monde et pas dans l'Ancien.

Caracal

Où vivent-ils ?

Avant l'apparition de l'homme, le lynx de l'Ancien Monde vivait dans les vastes forêts qui couvraient la plus grande partie de l'Europe, de la Turquie à la Russie et de la Sibérie à la péninsule du Kamchatka et au nord de la Chine. Lorsque ces forêts furent détruites pour laisser place aux cultures, aux villages et aux villes, le lynx vit son habitat progressivement réduit et fut chassé par les paysans qui défendaient leurs troupeaux. Aujourd'hui, il ne reste plus que quelques individus en Europe occidentale, notamment dans les régions forestières des Pyrénées espagnole et française, en Autriche et dans le nord de la Scandinavie. Leur nombre est cependant plus élevé en Europe de l'Est, de la mer Baltique à la Roumanie et à la Grèce, et dans les régions sauvages et boisées qui s'étendent au sud de la Russie, au Tibet, en Mongolie, en Mandchourie et en Sibérie. Les caracals occupent de préférence les forêts sèches, les broussailles, les savanes et les régions semi-désertiques d'Afrique,

du cap de Bonne-Espérance au Maroc, ainsi que de l'Asie entre la Turquie et l'Inde. Ils ne sont toutefois nulle part très nombreux. Comme le lynx, le caracal chasse essentiellement au crépuscule. Les animaux de ces deux espèces sont discrets et difficiles à apercevoir en pleine nature. Vous les verrez dans les réserves.

	Lynx commun (d'Eurasie)
	Caracal

LE CARACAL

De jeunes caracals capturés par des chasseurs ont pu être dressés et entraînés à chasser seuls ou en groupe. Semi-apprivoisés, ils sont souvent utilisés dans des spectacles où ils montrent leur habileté à attraper des oiseaux et à traquer de petits mammifères.

INFORMATIONS
LYNX DU CANADA

Type :	Carnivores
Famille :	Félidés
Genre :	Panthera
Nom latin :	*Lynx canadensis*
Couleur :	Jaune-brun marqué de taches plus sombres
Longueur :	1,20 m
Poids :	25 kg
Habitat :	Forêts tempérées
Localisation :	Alaska, Canada et nord des États-Unis

LYNX ROUX

Type :	Carnivores
Famille :	Félidés
Genre :	Panthera
Nom latin :	*Lynx rufus*
Couleur :	Brun-fauve, parsemé de taches et de points plus sombres
Longueur :	90 cm
Poids :	Jusqu'à 8 kg
Habitat :	Forêt, bois, broussailles, prairies herbeuses, régions semi-désertiques
Localisation :	États-Unis, ouest et est du Canada, Mexique

QUELQUES FAITS

Le lynx roux est bien plus petit, a adopté un autre mode de vie et présente des caractéristiques suffisamment divergentes par rapport au lynx du Canada pour représenter en soi une sous-espèce particulière de lynx. En revanche, le lynx du Nouveau Monde, c'est-à-dire du Canada, des États-Unis et du Mexique, est un parent très proche du lynx de l'Ancien Monde (pages 20-21), à tel point que certains zoologues les considèrent tous deux comme représentant deux sous-espèces du lynx. D'autres pensent, au contraire, qu'ils constituent deux espèces distinctes puisqu'ils ont vécu des milliers d'années dans des parties indépendantes du monde sans possibilité de se croiser.

LES LYNX DU NOUVEAU MONDE

Si le lynx du Canada et le lynx roux peuplaient autrefois en abondance les Amériques du Nord et centrale, seules les régions les plus sauvages leur offrent désormais un sanctuaire sûr.

Le lynx d'Amérique du Nord est très semblable à ceux des espèces européennes et asiatiques. On pense, en effet, que leurs ancêtres sont passés de l'Asie du nord-est en Amérique du Nord pendant la période glaciaire lorsque le niveau de la mer était plus bas qu'aujourd'hui et qu'une « passerelle » de terre permettait de franchir à pied sec l'actuel détroit de Béring. En Amérique du Nord, le lynx se rencontre dans les vastes plaines et les régions boisées du pied des montagnes, les forêts et les plaines de broussailles. Il se nourrit principalement de lièvres, de lapins et autres petits mammifères, ainsi que d'oiseaux. Il s'attaque également aux moutons et aux chèvres de montagne, sur lesquels il bondit comme un léopard et qu'il tue d'une morsure à la gorge.

Chassé de partout et voyant son territoire se réduire avec la transformation des forêts en terres cultivables, le lynx dut alors se retirer dans des contrées plus reculées et difficiles d'accès, où les chasseurs et les trappeurs se mirent à le traquer pour sa fourrure. Aujourd'hui, il prospère dans les territoires les plus sauvages mais reste toujours un gibier de choix pour les populations locales.

Le lynx roux est le plus petit félin des forêts et des prairies d'Amérique. De l'apparence d'un gros chat domestique, il a une silhouette nettement plus élancée que le lynx d'Amérique du Nord et ne pèse que le tiers de son poids.

La touffe de poils de ses oreilles est moins fournie, sa fourrure est ornée de taches et de rayures pâles sur le corps et de rayures sombres sur la tête. La queue est plus courte, souvent terminée par une touffe de poils noirs.

Lynx du Canada

Où vivent-ils ?

Le lynx roux occupe un territoire plus varié que le lynx du Canada et est plus agile. Il sait grimper aux arbres ou poursuivre ses victimes sur les parois rocheuses. Sa nourriture quotidienne se compose essentiellement de souris, de rats, d'écureuils, de tamias, de lapins et de lièvres, mais on sait qu'il apprécie aussi les tortues, les cervidés et les moutons. Chassé sans merci par les paysans malgré son utilité car il tue les rongeurs nuisibles aux récoltes, le lynx roux a dû, lui aussi, se retirer dans les contrées les plus sauvages du pays.

Lynx roux

REPRODUCTION

Le lynx est un animal solitaire, qui règne sur un vaste territoire de chasse et se mélange rarement à ses congénères. La femelle s'accouple en février ou mars et donne naissance à une portée de deux ou trois petits 10 semaines plus tard environ. Cachés dans un arbre creux ou une grotte, les jeunes sont allaités par leur mère pendant quatre ou cinq mois mais commencent à manger de la viande dès leur premier mois. Les lynx roux s'accouplent au printemps et ont une portée de trois ou quatre petits près de sept semaines plus tard. Les petits sont allaités pendant deux ou trois mois avant de suivre leur mère dans de courtes expéditions de chasse à proximité de leur tanière. Indépendants à huit ou neuf mois, ils s'éloignent souvent à plus de 160 km de leur mère pour créer leur propre territoire.

Les lynx d'Amérique du Nord vivaient autrefois dans toutes les régions forestières de l'Amérique du Nord, qui s'étendent de l'Alaska et du Labrador au nord, jusqu'au Canada et au sud des États-Unis. Ils sont encore très répandus en Alaska et au Canada, mais ont disparu presque partout ailleurs, à l'exception des régions les plus sauvages du nord des États-Unis. Les lynx roux sont également nombreux aux États-Unis, dans le sud-ouest du Canada et au nord du Mexique.

☐ Lynx du Canada

■ Lynx roux

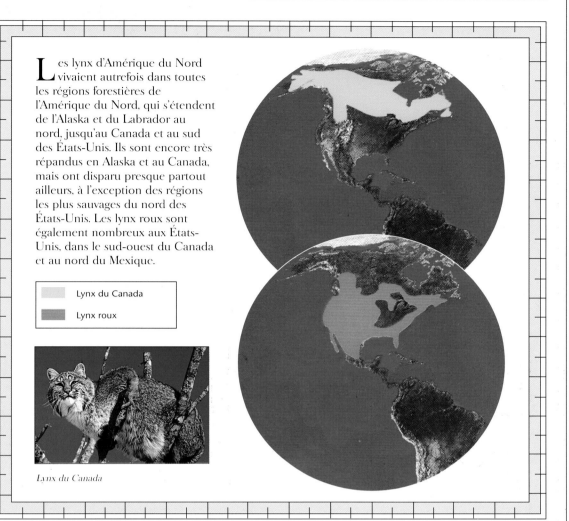

Lynx du Canada

LIÈVRES VARIABLES ET LYNX

Les forêts du nord du Canada sont peuplées de lièvres variables, qui doivent leur nom au fait que la couleur de leur fourrure passe du brun-gris en été au blanc en hiver. Ces rongeurs sont, hiver comme été, le gibier favori du lynx du Canada. Au XIXᵉ siècle, lièvres et lynx étaient tous deux chassés pour leur fourrure, qui firent la fortune de la Compagnie de la Baie d'Hudson.

Certaines années, les fourrures des deux espèces étaient particulièrement nombreuses, d'autres très rares. La quantité de lièvres augmentait fortement tous les 9 ou 10 ans, les rongeurs se reproduisant plus rapidement que ne pouvaient en dévorer les lynx, puis diminuait brusquement en conséquence de la raréfaction de la végétation dont ils se nourrissaient.

On constate alors que le nombre de lynx se réduisait parallèlement en proportion sur cette même période, tout simplement parce que leur gibier – les lièvres – était moins nombreux et qu'ils mourraient de faim. Lorsque la population de lièvres remontait à nouveau, celle des lynx croissait à son tour. C'est ainsi que les livres de compte de la Compagnie ont permis de mettre en évidence l'étroite interdépendance des deux espèces dans la chaîne alimentaire.

LES JAGUARS

INFORMATIONS

Type :	Carnivores
Famille :	Félidés
Genre :	Panthera
Nom latin :	*Panthera onca*
Couleur :	Brun chamois pâle avec des taches et des rosettes noires
Longueur :	Jusqu'à 2,20 m
Poids :	Jusqu'à 110 kg ; les mâles sont plus gros que les femelles
Habitat :	Forêts tropicales et plaines d'altitude, généralement près des lacs et des rivières
Localisation :	Sud du Mexique et des États-Unis, Amérique centrale, sud du Brésil jusqu'au nord de l'Argentine et de l'Uruguay

Le jaguar, le plus grand félin d'Amérique, est un prédateur des forêts tropicales, où sa magnifique fourrure tachetée lui permet un parfait camouflage.

QUELQUES FAITS

Le terme « jaguar » vient d'un mot indien d'Amérique du Sud qui signifie « chien ». Le nom espagnol local est « tigre », tandis que les Brésiliens l'appellent « onça », c'est-à-dire once, l'autre nom qui désigne le léopard (pages 18-19). Le jaguar n'est toutefois ni un chien ni un tigre ni un léopard, mais un félin d'Amérique du Sud au pelage constellé de grosses taches et le plus gros de tous les félins du Nouveau Monde.
On peut le considérer comme l'équivalent sud-américain du léopard de l'Ancien Monde. Les plus grands jaguars, que l'on peut rencontrer en Argentine, à l'extrémité sud de leur zone de distribution, ont presque la taille d'un tigre bien que d'un poids moindre ; ceux du Mexique et d'Amérique centrale, plus petits, sont plus proches du léopard ou du grand lynx par la taille. Si la plupart d'entre eux ont une fourrure tachetée, certains ont une couleur de pelage brun sombre ou presque noire.
Malgré ces différences, les zoologues s'accordent à dire qu'il n'y a qu'une espèce de jaguar. C'est le parti que nous avons pris.

Avec ses oreilles rondes, sa longue queue, son pelage fauve tacheté de points noirs, le jaguar rappelle beaucoup le léopard. Mais son corps est plus épais et plus lourd, sa tête plus large, plus courte et d'un pelage généralement plus sombre. La plupart de ses taches sont disposées en anneaux centrés autour d'un petit point noir.
Le jaguar descend peut-être des léopards qui, venant de l'Ancien Monde, auraient franchi la « passerelle » du détroit de Béring pour envahir l'Amérique du Nord. Les conditions de vie dans le Nouveau Monde étant légèrement différentes, les léopards auraient alors évolué différemment de leurs congénères d'Eurasie. Les crânes fossiles et autres ossements que l'on a découvert prouvent que différentes

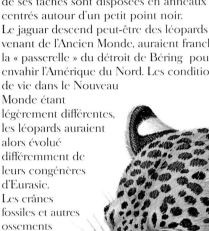

formes de jaguar ont vécu en Amérique du Nord, certains notablement plus gros et plus lourds que ceux d'aujourd'hui. Le jaguar occupe les forêts et les régions marécageuses, demeurant de préférence à proximité des rivières ou des eaux courantes, et à l'écart de toute civilisation. Bon nageur, contrairement à la plupart des autres félins, il semble apprécier la baignade. Le jaguar vit en solitaire et patrouille en permanence son vaste territoire à la recherche de proies, ne rencontrant ses congénères que pour l'accouplement.
Les jeunes jaguars aiment grimper aux arbres, où ils attrapent parfois les oiseaux et les petits mammifères arboricoles. Les adultes, trop lourds, préfèrent chasser au sol, parcourant silencieusement les forêts ou les plaines herbeuses à la recherche d'une proie. Capables de courir vite, mais uniquement sur une courte distance, ils préfèrent

REPRODUCTION

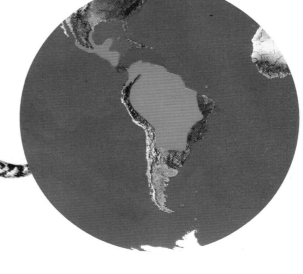

Où vivent les jaguars ?

Le jaguar vit en solitaire, patrouillant sur son vaste territoire à la recherche de proies. Lorsqu'une femelle est prête à s'accoupler, son odeur se modifie pour attirer les mâles. Il arrive que six ou sept mâles la suivent, répondant à ses appels sonores et combattant entre eux pour obtenir ses faveurs. Après s'être accouplé avec un ou

Jaguar se faisant les griffes sur une branche.

suivre leur victime puis bondir brusquement pour la saisir à la gorge.

Le jaguar se nourrit principalement de cochons sauvages, de cabiai (des rongeurs qui ressemblent à de grands cochons d'Inde), de rats, de porcs-épics, de cervidés, de tatous et, parfois, de chèvres de montagne. Ses puissantes mâchoires et ses longues canines lui permettent de briser la carapace des tortues de rivière ou de trancher la tête d'un serpent d'un seul coup de dents.

Un grand jaguar peut facilement tuer un mouton, un poulain ou une vache et n'hésite pas à s'attaquer à un bœuf ou un cheval adulte. Les fermiers des années 1800, en exterminèrent des populations entières et contraignirent les survivants à se retirer dans les profondeurs des forêts. La vente de leur peau ajoutait un intérêt supplémentaire à leur massacre.

plusieurs d'entre eux, la femelle connaît une période de gestation de près de 14 semaines, au bout de laquelle elle met bas jusqu'à 4 chatons, qu'elle dissimule dans les profondeurs de la forêt. Elle les allaite 3 à 4 semaines puis les habitue à la viande. Après 7 ou 8 semaines, les petits l'accompagnent à la chasse et resteront avec elle au moins un an. Devenus adultes, ils partent chacun de leur côté s'établir sur un nouveau territoire.

Largement répandus autrefois dans les forêts méridionales du Mexique, les jaguars y sont désormais rarement visibles mais on pense qu'ils sont plus nombreux dans les régions isolées de montagne. On les trouve plus communément dans les forêts d'Amérique centrale, ainsi qu'en Colombie, en Bolivie, au Pérou, en Équateur, au Venezuela et au centre du Brésil. La limite sud de leur zone de répartition se situe au nord de l'Argentine, du Paraguay et, probablement, de l'Uruguay. Une grande partie de la région forestière au sud du Belize a été constituée en réserve naturelle pour faciliter l'étude des jaguars à l'état sauvage.

DANGEREUX POUR LES HOMMES

Le jaguar a de bonnes raisons de se méfier des hommes. Il est en effet pourchassé et tué sans pitié dès qu'il est aperçu à proximité d'un lieu habité, car il est considéré comme un animal dangereux et sa fourrure est très appréciée. C'est parce que la nourriture se raréfie sur son territoire qu'un jaguar quitte son abri en forêt pour rôder près des fermes ou des villages. On ne manque d'ailleurs pas de témoignages où un jaguar a tué du bétail ou des gens – assez en tout cas pour que tout le monde s'en méfie.

Il arrive cependant que le « tueur » soit simplement un jeune animal qui n'a pas réussi à se créer un territoire. Il est alors malheureusement peu probable qu'il parvienne à retourner dans la forêt avant d'être tué.

La vente de la peau du jaguar apporte un complément de revenu intéressant aux paysans pauvres.

LES GUÉPARDS

Ce félin d'Afrique et du Moyen-Orient aux membres déliés compte parmi les animaux les plus rapides du monde.

INFORMATIONS

Type :	Carnivores
Famille :	Félidés
Genre :	Panthera
Nom latin :	*Acinonyx jubatus*
Couleur :	Jaune fauve avec des taches noires
Longueur :	2 m
Poids :	Jusqu'à 65 kg
Habitat :	Savane, brousse aride, forêts claires
Localisation :	Afrique, Asie occidentale

TIGRE

GUÉPARD

CHAT DOMESTIQUE

QUELQUES FAITS

Personne ne peut douter que le guépard soit un félin appartenant à la famille des Félidés. Mais est-il *Panthera* (lions et tigres) ou *Félinae* (petits félins) ?

Par sa seule taille, il se rapproche des lions et des tigres. Mais d'autres éléments entrent en ligne de compte. En effet, le guépard ne sait ni rugir ni même gronder mais « pépie », miaule et ronronne comme un petit chat. Contrairement aux autres félins, ses griffes ne sont pas rétractiles et restent exposées en permanence. Ses griffes lui assurent ainsi une bonne prise au sol, tout comme les pointes des chaussures d'un athlète. Il est possible que le guépard n'appartienne ni au genre panthère ni au genre félin, mais qu'il constitue un genre en soi. Nous l'avons classé ici parmi les grands félins, auxquels il correspond le mieux.

Le guépard, plus que tous les autres félins, est fait pour la vitesse. Possédant des jambes minces et puissantes, une longue queue et un corps souple et musclé, il est capable de rattraper à la course, en terrain découvert, les antilopes et les gazelles les plus rapides. Ce merveilleux animal fait l'admiration des hommes pour ses qualités de chasseur.

Le guépard est un grand animal qui rappelle le léopard. Sa fourrure est fauve, plus pâle sur le ventre du menton à la queue, constellée de larges taches noires. La queue est longue et mesure parfois la moitié du corps. Sa tête est petite et large, avec des oreilles rondes, marquée d'une ligne noire épaisse qui court de l'œil au menton de chaque côté du museau. Le poitrail est large et la taille fine et élancée. Ses membres antérieurs très musclés lui permettent de se propulser en avant dès qu'il commence à courir. Ses membres longs et déliés et son échine souple lui donnent cette très longue foulée qui est le secret de sa vitesse. Il peut atteindre 80 km/h en quelques secondes, départ arrêté, mais il se fatigue très rapidement. Un guépard adulte se déplace ou chasse rarement en groupe, mais n'hésite pas à s'associer parfois à ses congénères. Chaque guépard a besoin au

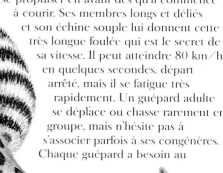

Guépard guettant sa proie.

Où vivent les guépards ?

minimum d'un territoire de 8 à 10 km² de savane pour vivre, et d'un peu plus dans les régions arides où les proies sont plus rares. Il chasse toujours de jour, se postant sur un point en surplomb pour observer la situation et guetter ses victimes, humant le vent pour les détecter. Dès qu'il aperçoit une proie, le guépard s'en approche doucement jusqu'à quelques centaines de mètres puis s'élance brusquement à pleine vitesse sur elle et la poursuit jusqu'à la renverser d'un coup de patte ou en s'agrippant à ses flancs. Il chasse ainsi antilopes et gazelles, koudous, zèbres, antilopes, lièvres et même parfois des oiseaux.

GUÉPARDS EN LAISSE

Des guépards ont été élevés en captivité dans plusieurs pays où on le rencontre, de l'Inde à l'Afrique de l'Est. Fait surprenant pour un animal aussi vif, il semble bien se soumettre au dressage et vivre parfaitement heureux en captivité – à condition de le laisser de temps en temps chasser en semi-liberté. Au Moyen Âge, des couples de guépards dressés pour la chasse ont été offerts à quelques monarques d'Europe. De véritables meutes de guépards ont parfois été constituées pour chasser par jeu des troupeaux de ruminants.

Les guépards se rencontrent principalement dans la savane et les régions broussailleuses semi-désertiques d'Afrique et d'Asie occidentale. Ils n'ont cependant jamais été très nombreux et le fait d'en apercevoir quelques-uns au cours d'un long safari témoigne plutôt de leur prospérité. Les campagnes d'extermination systématiques orchestrées au bénéfice du commerce de leur magnifique fourrure en ont réduit le nombre. Si on en trouvait partout en Afrique, à l'exception des forêts équatoriales, il y a moins d'un siècle, ils ont aujourd'hui disparu de la province du Cap, du Natal et d'autres régions agricoles. Un certain nombre d'individus dispersés survivent toutefois au Mozambique et en Namibie, au nord de l'Érythrée à l'est et au Maroc à l'ouest.

Également répandus en Asie du Sud-Ouest, de la Turquie à l'Inde du centre, dans un passé récent, il n'en subsiste aujourd'hui que des populations éparses en Arabie, au Turkménistan, en Afghanistan et en Inde de l'Ouest. Les réserves du Kenya sont l'endroit idéal pour voir des guépards en liberté, d'autant que la plupart d'entre eux se sont habitués à être observés et photographiés.

REPRODUCTION

Les femelles prêtes à l'accouplement choisissent un ou plusieurs partenaires et restent avec eux pendant deux à trois semaines. S'il y a plusieurs mâles, chacun essaie de soustraire jalousement sa compagne à ses congénères, ce qui se traduit souvent par des querelles. Près de 13 semaines plus tard, la femelle donne naissance à une portée de trois à six chatons, dont seuls un ou deux, plus gros et plus gras que les autres, pourront survivre. En général, la moitié des petits meurt avant d'avoir un an. Les chatons suivent étroitement leur mère dans ses déplacements, restant sagement à l'abri lorsqu'elle part à la chasse avant de s'approcher pour partager les restes de la victime. Ce n'est qu'une fois devenus plus grands qu'ils l'accompagnent. Les mères guépards protègent courageusement leurs chatons contre les autres mammifères et les petits apprennent rapidement à tirer parti de leur extraordinaire vélocité – leur principal atout pour chasser et éviter d'être pris.

La course du guépard.

INFORMATIONS
PUMA
(COUGUAR, PANTHÈRE)

Type :	Carnivores
Famille :	Félidés
Genre :	Felis
Nom latin :	*Felis concolor*
Couleur :	Sable ou gris-brun, ventre plus pâle ; joues noires
Longueur :	Jusqu'à 2,40 m
Poids :	Jusqu'à 120 kg
Habitat :	Forêts, régions boisées, plaines, déserts
Localisation :	Ouest du Canada, États-Unis, Amérique centrale et du Sud

OCELOT

Type :	Carnivores
Famille :	Félidés
Genre :	Felis
Nom latin :	*Felis pardalis*
Couleur :	Fauve doré, avec rayures et taches noires
Longueur :	1,30 m
Poids :	16 kg
Habitat :	Forêt, savane herbeuse
Localisation :	Sud des États-Unis, Mexique, Amérique centrale, de l'est de l'Amérique du Sud au sud de l'Uruguay

MARGAY

Type :	Carnivores
Famille :	Félidés
Genre :	Felis
Nom latin :	*Felis wiedi*
Couleur :	Fauve, avec rayures et taches noires
Longueur :	1,10 m
Poids :	Près de 10 kg
Habitat :	Forêt
Localisation :	Mexique, Amérique centrale, de l'est de l'Amérique du Sud au sud de l'Uruguay

QUELQUES AUTRES FÉLINS DES AMÉRIQUES

Longtemps chassés par les paysans, pumas, ocelots et margays se sont réfugiés dans les contrées les plus sauvages.

Le puma est l'un des plus grands félins du genre *Felis* et également le plus adaptable et celui dont l'habitat est le plus diversifié : forêts épaisses, brousse ou contrées semi-désertiques, des montagnes Rocheuses au nord à la Patagonie au sud. Le puma présente un pelage uni, sans taches ni rayures, d'une couleur variant en fonction de son habitat du gris terne au fauve éclatant. Il a reçu des noms très différents selon les régions : puma, couguar, catamount, lion de montagne. Sa couleur lui permet de se fondre dans la plupart des décors et d'attaquer par surprise des proies sans méfiance. S'il se nourrit principalement de cervidés, il tue et mange une grande variété d'autres mammifères et oiseaux. Assez gros pour s'attaquer aux moutons et au jeune bétail, il est devenu l'ennemi juré des éleveurs, qui n'hésitent pas à le tirer à vue. Contrairement à la lionne à laquelle il ressemble, le puma ne sait pas rugir mais, appartenant au genre *Felis*, il ronronne et miaule. Il vit en solitaire sur de vastes territoires qui peuvent se recouvrir partiellement les uns les autres et ne rejoint ses congénères que pour une brève période d'accouplement. La femelle a des portées de 3 ou 4 petits, parfois 6, qu'elle garde auprès d'elle pendant près d'un an. L'ocelot est un félin arboricole des Amériques, vivant entre le sud des États-Unis et le sud du Brésil et de l'Uruguay. Comptant parmi les

Margay

Puma

Où vivent-ils ?

Un puma et ses petits.

plus beaux félins, sa peau est très appréciée en fourrure. Cet animal timide, qui s'aventure rarement au-delà de la lisière des forêts, chasse le cerf, le pécari et l'agouti, qu'il terrasse après une brève poursuite. Il peut également se nourrir de singes, de reptiles et d'oiseaux qu'il attrape dans les arbres. L'ocelot est une exception parmi les félins en ce que le mâle demeure quelque temps avec la femelle après leur accouplement, qu'ils chassent ensemble et restent en contact en s'appelant sur tout leur territoire. Les portées ont généralement un ou deux chatons. Le mâle s'occupe souvent d'apporter la nourriture à la tanière. Le margay (également appelé chat tacheté à longue queue) ressemble à l'ocelot par la couleur de son pelage et sa silhouette mais est légèrement plus petit et d'apparence moins puissante. Il occupe le même genre d'habitat mais passe plus de temps dans les arbres, où il chasse des petits mammifères et des oiseaux. Comme l'ocelot, il est timide et préfère se tenir éloigné des hommes. Sa superbe fourrure est presque autant appréciée que celle des ocelots, d'où son extermination par milliers chaque année.

Ocelot

Le puma occupait à l'origine la plus grande partie de l'Amérique du Nord et du Sud. Son territoire s'est ensuite rétréci à mesure de la déforestation et de l'extension des terres agricoles au Canada et aux États-Unis. Même après plusieurs siècles de chasse intensive, il compte toutefois aujourd'hui parmi les plus nombreux des grands félins. L'ocelot et le margay n'ont jamais été aussi répandus dans le nord. Si on peut encore rencontrer des ocelots dans les États méridionaux des États-Unis, à l'instar des margays, ils peuplent essentiellement les régions boisées au sud du Mexique.

	Margay
	Ocelot
	Puma

QUELQUES FAITS

Le genre *Felis* regroupe essentiellement des petits félins, dont la plupart ont la taille des chats domestiques. Seuls quelques-uns sont des gros animaux, dont la taille est proche de celle du léopard.

Un ocelot et son petit.

Le puma, l'ocelot et le margay sont les trois représentants des espèces les plus grandes, qui vivent tous dans différentes régions de l'Amérique du Nord et du Sud. Le puma est appelé à tort panthère dans certains pays des Amériques. Ce nom, qui désignait autrefois les grands félins en général, est resté aux félins américains bien qu'ils soient zoologiquement considérés comme appartenant au genre *Felis* et non *Panthera*.

CHATS SAUVAGES DES AMÉRIQUES

Les forêts et les plaines d'Amérique du Nord et du Sud abritent au moins 11 espèces de félins, peut-être plus. Ils descendent tous d'animaux provenant de Sibérie (voir page 21) qui sont venus peupler d'abord l'Amérique du Nord puis l'Amérique du Sud en traversant l'isthme de Panamá. On ne compte ni lions, ni tigres, ni léopards parmi ces populations, les seuls félins du Nouveau Monde appartenant au genre *Panthera* étant le lynx du Canada et le lynx roux (voir pages 22-23) ainsi que le jaguar (pages 24-25). Certains se sont établis autant en Amérique du Nord que du Sud, d'autres uniquement en Amérique du Sud. Les trois plus grandes espèces sont présentées ici et six autres, plus petites, dans les deux pages suivantes.

Le margay est un chasseur agile.

INFORMATIONS

JAGUARONDI

Type :	Carnivores
Famille :	Félidés
Genre :	Felis
Nom latin :	*Felis yagouaroundi*
Couleur :	Unie, variant du brun-rouge au gris
Longueur :	1 m
Poids :	7 kg
Habitat :	Herbages, broussailles, marais
Localisation :	Texas, Arizona, Mexique, Amérique centrale, Amérique du Sud jusqu'à l'Uruguay

CHAT DES ANDES

Type :	Carnivores
Famille :	Félidés
Genre :	Felis
Nom latin :	*Felis jacobita*
Couleur :	Gris avec des taches et des rayures noires
Longueur :	1 m
Poids :	4 à 7 kg
Habitat :	Prairie d'herbage de niveau alpin
Localisation :	Andes au centre du Chili, Pérou, Bolivie et nord de l'Argentine

CHAT DE GEOFFROY

Type :	Carnivores
Famille :	Félidés
Genre :	Felis
Nom latin :	*Felis geoffroyi*
Couleur :	Jaune-fauve avec des taches noires, tête rayée
Longueur :	95 cm
Poids :	2 à 4 kg
Habitat :	Forêts de montagne
Localisation :	Bolivie, Paraguay, Argentine, sud du Brésil, Uruguay

CHAT DES PAMPAS

Type :	Carnivores
Famille :	Félidés
Genre :	Felis
Nom latin :	*Felis colocolo*
Couleur :	Brun-gris pâle avec des rayures plus sombres
Longueur :	90 cm
Poids :	3 à 7 kg
Habitat :	Prairies tempérées
Localisation :	Sud et centre-ouest de l'Amérique du Sud

KODKOD

Type :	Carnivores
Famille :	Félidés
Genre :	Felis
Nom latin :	*Felis guigna*
Couleur :	Brun-gris, abondamment tacheté de noir
Longueur :	67 cm
Poids :	2,5 kg
Habitat :	Forêt des montagnes
Localisation :	Sud du Chili et de l'Argentine

CHAT-TIGRE (ONCILLE)

Type :	Carnivores
Famille :	Félidés
Genre :	Felis
Nom latin :	*Felis tigrinus*
Couleur :	Fauve avec des taches noires
Longueur :	85 cm
Poids :	2,3 kg
Habitat :	Forêts
Localisation :	Amérique centrale et nord de l'Amérique du Sud

LES PETITS FÉLINS DES AMÉRIQUES

Six espèces de petits félins peuplent les Amériques, du Texas au nord, à l'extrémité de la Patagonie au sud.

Pouvant atteindre 1,20 m de longueur, le jaguarondi est un étrange félin, au corps long et fin et à la queue effilée mais avec des membres courts et une large tête, dont le pelage uni est de couleur brun ou gris. Il vit dans les forêts, chassant oiseaux, souris et autres petits animaux, ou à proximité des eaux, pêchant des poissons. Son corps allongé et mince et sa fourrure unie le font alors ressembler plus à une loutre qu'à un félin.

Les jaguarondis chassent souvent en couple ou à plusieurs.

La gestation des femelles dure jusqu'à dix semaines et donne naissance à une portée de trois ou quatre chatons.

Le chat des Andes est l'un des félins les moins connus. Il ne vit que dans une zone réduite des hautes montagnes des Andes. Ce chat au pelage gris, marqué d'anneaux et de taches noires, est protégé par sa longue et fine fourrure des rigueurs extrêmes du climat montagneux en hiver. Le chat des Andes vit au-dessus des forêts, dans les zones alpines à la végétation clairsemée et rare, à des hauteurs atteignant 3 000 m. Il se nourrit de petits mammifères et d'oiseaux.

Le chat de Geoffroy, qui a la taille d'un chat

Chat des Andes

Jaguarondi

Chat de Geoffroy

domestique, vit dans les prairies et les forêts méridionales de l'Amérique du Sud. Portant le nom du naturaliste français Geoffroy Saint-Hilaire, qui explora ces contrées au début du XIXᵉ siècle, ce petit félin a un pelage jaunâtre ou gris, orné de taches et de rayures noires formant un somptueux dessin. Sa tête est étrangement large avec le dos des oreilles noir taché d'un point blanc. Il est suffisamment agile pour grimper aux arbres, où il passe la plupart de son temps à chasser les oiseaux et les petits mammifères.

Le chat des pampas est de couleur gris pâle ou blanc, avec des marbrures gris-jaune et brun sombre ou des taches et des rayures noires. Sa fourrure est longue et épaisse, avec une sorte de crinière sur l'épine dorsale. De la taille d'un gros chat domestique, il occupe principalement les pampas et les bois clairs d'Amérique du Sud, où il se nourrit de petits mammifères et d'oiseaux. La femelle a une portée de un ou deux chatons, rarement plus. Vivant en terrain découvert, il est un gibier facile pour les trappeurs qui font le commerce de sa belle fourrure.

Le kodkod est un minuscule chat de montagne, plus petit qu'un chat domestique, qui peuple les forêts du sud du Chili. On connaît très peu de choses de sa biologie et de son mode de vie. De couleur gris-brun, avec des oreilles ornées d'une petite touffe de poils et une queue rayée, il chasse les petits rongeurs des sous-bois sans négliger les

Chat des pampas

oiseaux qui nichent dans les branches des arbres.

Le chat-tigre est également l'un des plus petits félins du monde, puisqu'il est d'une taille équivalente à la moitié ou aux trois quarts de celle d'un chat domestique. Il vit dans les régions de forêts clairsemées, grimpant volontiers dans les arbres où il chasse les oiseaux, les petits rongeurs et les lézards.

Où vivent-ils ?

Les petits félins d'Amérique du Sud sont tous difficiles à apercevoir, soit parce qu'ils vivent dans des régions sauvages et trop isolées, soit parce qu'ils sont devenus très rares pour avoir été abondamment chassés. Il est sans doute plus facile de les voir dans les zoos où ils sont protégés en captivité. Le jaguarondi se trouve entre le sud des États-Unis (Arizona et Texas) et le sud du Brésil, au Paraguay et au nord de l'Argentine. La présence du chat des Andes se limite à une très petite région des hautes montagnes de Bolivie, du Chili, du Pérou et du nord de l'Argentine, tandis que le kodkod occupe une zone d'altitude similaire plus au sud, dans les Andes.

Le chat de Geoffroy se rencontre également dans les Andes de Bolivie et au nord de l'Argentine, mais aussi plus à l'est, au Brésil, en Uruguay, et au sud de la Patagonie. L'habitat du chat des pampas se situe entre l'Équateur, le Chili, l'Argentine et l'Uruguay, tandis que celui du chat-tigre s'étend sur la Colombie, le Venezuela, la Guyane, le Brésil, le Paraguay et le nord de l'Argentine.

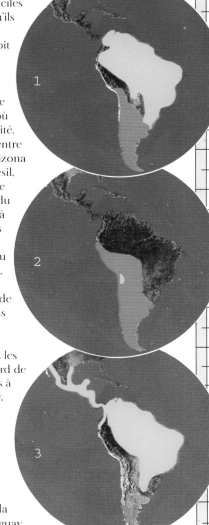

1. Chat-tigre	2. Chat des Andes	3. Jaguarondi
1. Chat de Geoffroy	2. Chat des pampas	3. Kodkod

QUELQUES FAITS

Bien que tous ces félins appartiennent au genre *Felis*, et que certains (notamment le kodkod et le chat de Geoffroy) se ressemblent beaucoup, d'autres (par exemple le jaguarondi) sont assez différents et issus d'espèces plus éloignées.

Chat de Geoffroy.

Chat des pampas

Kodkod

Chat-tigre

LES CHATS SAUVAGES DE L'ANCIEN MONDE

Les chats sauvages d'Afrique, d'Asie et d'Europe sont les parents sauvages du chat domestique.

INFORMATIONS
CHAT SAUVAGE D'EUROPE

Type :	Carnivores
Famille :	Félidés
Genre :	Felis
Nom latin :	*Felis silvestris*
Couleur :	Gris-jaune sombre, rayures brunes autour des flancs
Longueur :	85 cm
Poids :	Jusqu'à 7 kg
Habitat :	Forêts de montagne et bois
Localisation :	Europe de l'Ouest jusqu'à l'est de la Turquie, toute l'Asie jusqu'en Chine

CHAT SAUVAGE D'AFRIQUE

Type :	Carnivores
Famille :	Félidés
Genre :	Felis
Nom latin :	*Felis libyca*
Couleur :	Très variée : noir, gris, brun-roux, roux, rayures mouchetées
Longueur :	85 cm
Poids :	Jusqu'à 7 kg
Habitat :	Prairies, forêts, contrées semi-désertiques, montagnes
Localisation :	Afrique du Nord, de l'Est et du Sud, Moyen-Orient, Arabie, îles méditerranéennes

Le chat sauvage d'Europe ressemble beaucoup au chat domestique – même allure et même taille, couleur et dessin du pelage comparables à ceux d'un chat tigré. Le véritable chat sauvage présente des rayures plus larges, une queue plus fournie avec une extrémité ronde et non pas pointue, et un plus gros crâne, avec des yeux plus grands et un regard plus perçant. Les oreilles sont alors souvent aplaties au lieu d'être dressées, signe de méfiance et de crainte envers tout étranger.

Aucun appel ne fera s'approcher le chat sauvage. Les chats sauvages d'Europe sont les mieux connus mais il en existe près de 40 autres sous-espèces, d'allure légèrement différente, qui se répartissent jusqu'aux régions situées à l'ouest de l'Asie. Il est possible que ces petits félins aient vécu dans les forêts tempérées bien avant l'arrivée de l'homme, puis qu'ils aient dû se retirer dans des contrées plus sauvages – les hauts plateaux et les montagnes – à mesure que les hommes exploitaient et détruisaient les forêts pour les transformer en terres agricoles. Bien que leur nombre se soit réduit, les véritables chats sauvages sont encore largement répandus notamment grâce aux croisements qui se sont réalisés naturellement avec des chats domestiques. Les chats sauvages se nourrissent essentiellement d'oiseaux et de petits mammifères comme les rats, les souris, les campagnols et les écureuils. S'ils préfèrent éviter les lieux habités, certains n'hésitent pas à s'approcher des fermes pour s'attaquer au jeune bétail ou aux animaux de basse-cour.

LA REPRODUCTION

Ces deux espèces de chats sauvages vivent en solitaire et occupent de petits territoires dont ils marquent les limites par leurs déjections et leur urine. Les femelles sont prêtes à l'accouplement au début du printemps. Leur odeur et leurs appels attirent alors les mâles, qui peuvent les suivre pendant plusieurs jours, en miaulant bruyamment et en se combattant mutuellement. 9 ou 10 semaines après l'accouplement, la mère s'installe dans une tanière ou un coin abrité pour donner naissance à 2 ou 3 chatons. Elle les allaite pendant près d'un mois puis les habitue à un régime carné, en leur proposant des proies vivantes qu'elle a seulement blessées afin qu'ils les pourchassent et apprennent à tuer. Mère et chatons restent ensemble pendant 4 à 5 mois sans aucune intervention du père.

Chat sauvage d'Afrique

Où vivent-ils ?

Chat sauvage d'Inde et ses chatons.

QUELQUES FAITS

Il est facile de confondre les petits d'un chat sauvage d'Europe ou d'Asie avec un chaton domestique abandonné. Mais vous vous apercevrez vite de votre erreur en le prenant dans vos bras. Le vrai chat sauvage est, en effet, sauvage dès sa naissance. Certes, il acceptera sans doute la nourriture que vous lui proposerez s'il a faim, et un coin chaud s'il a froid. Mais rien, ni gentillesses ni câlins, n'apprivoisera assez un chat sauvage pour en faire un chat domestique.

Il est pratiquement certain que le chat sauvage d'Afrique, la seconde espèce détaillée ici, est l'ancêtre de nos chats domestiques. Moins sauvage que son cousin d'Europe, il a été apprivoisé et habitué à vivre en compagnie de l'homme il y a très longtemps en Égypte et au Moyen-Orient, et fut probablement amené en Europe par les Romains. Ainsi, votre animal favori est-il le dernier représentant d'une longue lignée de chats.

Le chat sauvage d'Afrique, d'une taille comparable à celui d'Europe, présente un pelage de couleur plus variée, du noir au jaune-roux, ce qui lui permet de se fondre dans les décors très divers de son habitat. Les motifs colorés de sa fourrure rappellent ceux du chat domestique, tout comme leur queue, fine et pointue. C'est pour ces raisons que les zoologues pensent que les chats domestiques descendent plutôt des chats sauvages d'Afrique que d'Europe (voir page 40). Vivant dans les régions les plus sèches de l'Afrique et de l'Arabie, le chat sauvage d'Afrique se nourrit, comme ses cousins européens, essentiellement d'oiseaux et de petits mammifères.

Les chats sauvages d'Europe qui peuplaient autrefois librement le continent sont maintenant réduits à vivre à l'écart de l'homme dans les régions boisées du nord de l'Écosse, en Allemagne, en France, en Belgique, en Espagne, au Portugal et en Europe de l'Est. En Russie, ils abondent dans les forêts sauvages des montagnes du Caucase. Les chats sauvages d'Afrique sont répandus sur tout ce continent, excepté les déserts secs et les forêts équatoriales humides. Leur population s'étend aussi en Arabie, au Moyen-Orient, dans les îles méditerranéennes et jusqu'en Inde.

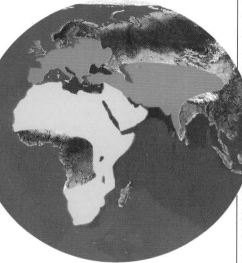

Chat sauvage d'Afrique
Chat sauvage d'Europe

(en haut) Chat sauvage d'Europe
(en bas) Chat sauvage d'Écosse

Chat sauvage d'Europe

AMIS OU ENNEMIS ?

Les paysans d'Europe dont les poulets disparaissent la nuit, ou les gardes-chasse qui découvrent le massacre des jeunes faisans et des perdreaux qu'ils élevaient, ont souvent accusé les « chats » de ces crimes. Ils ont alors pourchassé sans merci tous les chats, sans s'inquiéter vraiment de savoir si l'auteur de ces exactions était un véritable chat sauvage ou seulement un chat « haret » – c'est-à-dire un chat domestique abandonné ou en fuite et retourné à l'état sauvage. Cette attitude conduisit à la disparition progressive du véritable chat sauvage et à son « remplacement » par le chat haret, mais également à une forte augmentation du nombre des petits rongeurs. Pour chaque poulet tué par un chat sauvage, ce sont plusieurs centaines de souris, rats, lapins et autres petits mammifères qui ont pu se multiplier et dévorer impunément les récoltes. Il eut mieux valu que les fermiers protègent mieux leur basse-cour et laissent les chats s'occuper de ces animaux nuisibles.

LES PETITS FÉLINS D'AFRIQUE

Le serval, le chat doré, le chat des sables et le chat à pattes noires occupent quatre habitats différents de l'Afrique.

INFORMATIONS

SERVAL

Type :	Carnivores
Famille :	Félidés
Genre :	Felis
Nom latin :	*Felis serval*
Couleur :	Fauve pâle ou crème marquée de barres et de taches noires
Longueur :	Jusqu'à 1 m, queue comprise
Poids :	Jusqu'à 20 kg
Habitat :	Prairies, contrées semi-désertiques, forêts
Localisation :	Nord-ouest de l'Afrique et sud du Sahara

CHAT DORÉ AFRICAIN

Type :	Carnivores
Famille :	Félidés
Genre :	Felis
Nom latin :	*Felis aurata*
Couleur :	Brun sable avec de légères taches sombres, tête rayée, pattes noires
Longueur :	1,10 m
Poids :	14 kg
Habitat :	Forêts tropicales d'arbres à feuilles caduques
Localisation :	Afrique centrale, du Sénégal au Kenya

CHAT DES SABLES

Type :	Carnivores
Famille :	Félidés
Genre :	Felis
Nom latin :	*Felis margarita*
Couleur :	Brun doré, plus pâle au ventre, tête rayée
Longueur :	75 cm
Poids :	Environ 3 kg
Habitat :	Désert sec
Localisation :	Afrique du Nord, Arabie, sud-ouest de l'Asie

CHAT À PATTES NOIRES

Type :	Carnivores
Famille :	Félidés
Genre :	Felis
Nom latin :	*Felis negripes*
Couleur :	Brun-roux, plus pâle au ventre, taches noires, plante des pattes noire
Longueur :	65 cm
Poids :	Environ 2 kg
Habitat :	Herbages et contrées semi-désertiques
Localisation :	Désert du Kalahari, Botswana, Afrique du Sud

Le serval est un grand chat mince à longues oreilles, dont le pelage gris-beige est constellé de taches noires. Il vit dans la savane herbeuse et les broussailles des régions désertiques, se reposant aux heures chaudes de la journée et chassant le soir et au petit matin.

Sa technique de chasse est la patience et l'ouïe : assis, immobile et silencieux dans les sous-bois, le regard fixe, il écoute attentivement le pépiement des oiseaux ou le bruit d'un petit mammifère dans les herbes. Dès qu'il a détecté un son, il bondit sur sa proie qu'il crochète de ses griffes et assomme ensuite d'un adroit coup de patte. Le serval est capable de courir, de sauter très haut et de grimper dans les arbres, autant pour chasser que pour échapper lui-même à ses ennemis, les léopards et autres prédateurs. Le chat doré africain vit, au contraire, dans les forêts sèches d'arbres à feuilles caduques au sud du Sahara. Seuls quelques-uns ont une fourrure assez claire pour être qualifiée de dorée. La plupart ont un pelage gris terne ou brun sale, avec de légères taches brunes sur le corps, les pattes et le dos des oreilles étant d'une teinte plus sombre. La tête est marquée de rayures.

La couleur du pelage du chat des sables peut varier dans la gamme du roux au gris, avec des taches noires et des rayures marquant la tête, les flancs et la queue. Ses oreilles sont écartées et placées bas sur la

Chat doré africain

Serval

Chat des sables

Où vivent-ils ?

tête, ses membres courts et les coussinets de ses pattes tapissés de longs poils emmêlés qui lui font des « patins » les isolant de la chaleur et lui

Chat des sables.

permettant de se déplacer plus facilement dans le sable. Ce félin occupe les zones désertiques et semi-désertiques, à proximité des oasis et du lit des oueds, où la nourriture est plus abondante et où il peut s'abriter parmi les broussailles et les hautes herbes.

Aux heures chaudes de la journée, il reste au frais dans un terrier ou sous un rocher, et part chasser la nuit insectes, lézards, oiseaux, souris et gerboises. La femelle a une portée de quatre (ou plus) très petits chatons, qui grandissent rapidement et partent seuls en chasse deux ou trois mois plus tard en quête de nourriture. Le chat à pattes noires ressemble au chat des sables mais avec un pelage aux rayures et aux taches plus marquées. De la taille d'un petit chat domestique, il s'agit du plus petit et du plus solitaire de tous les chats sauvages. Il vit dans les savanes herbeuses et les contrées semi-désertiques, chassant la nuit de petits oiseaux, des insectes et des mammifères. La mère a une portée de deux ou trois chatons.

Chat à pattes noires

Le serval vit dans les broussailles semi-désertiques, les prairies et les marais d'Afrique, au sud du Sahara. Le chat doré d'Afrique vit dans la ceinture forestière d'arbres à feuilles caduques qui s'étend de la côte ouest à la vallée du Rift, à l'est de l'Afrique centrale. Le chat des sables se rencontre au Sahara et dans les régions sèches du Sénégal, de l'Égypte, et en Arabie Saoudite. On en trouve également dans les zones désertiques à l'est de la mer Caspienne et de la mer d'Aral. Le chat à pattes noires vit dans le désert du Kalahari, le Botswana et les provinces septentrionales de l'Afrique du Sud.

▨	1. Chat doré africain 2. Chat à pattes noires
▓	1. Chat des sables 2. Serval

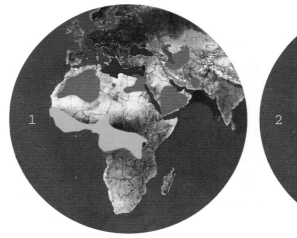

VIVRE DANS LE DÉSERT

L'eau est essentielle à la vie, pourtant une grande variété de reptiles, d'oiseaux et de mammifères vivent dans des déserts où elle est rare sinon absente. Dans ces conditions, le premier souci d'un animal est de se protéger le plus possible du soleil afin d'éviter que son corps ne se réchauffe trop. Les chats transpirent et halètent pour éliminer l'excédent de chaleur et conserver ainsi à leur organisme une température normale. Mais ces deux processus consomment beaucoup d'eau. Il est alors préférable de rester à l'ombre pendant les heures chaudes de la journée et de ne chasser qu'après le coucher du soleil ou au petit matin. Les petits animaux peuvent également boire de la rosée qui s'est formée sur les feuilles des plantes pendant la nuit (toujours très froide dans les régions désertiques) pour survivre. Tous les animaux et les plantes contiennent de l'eau. En effet, près de 70 % du poids d'un mammifère est composé d'eau. De ce fait, un chat « boit » un peu lorsqu'il mange des oiseaux et des souris. La plupart des mammifères des régions désertiques ont des reins très efficaces qui retiennent parfaitement l'eau et produisent une urine particulièrement concentrée.

QUELQUES FAITS

Ces quatre petits félins d'Afrique sont assez proches les uns des autres mais ont adopté des modes de vie très différents. Les deux sous-espèces tachetées vivent principalement au milieu de la végétation. Le chat des sables et le chat doré, en revanche, sont adaptés aux déserts de sable où ils habitent.

Chat doré africain

LES CHATS-LÉOPARDS ET LEUR FAMILLE

Ces cinq espèces de petits félins du sud de l'Asie comprennent un chat qui pêche.

INFORMATIONS

CHAT-LÉOPARD DU BENGALE

Type :	Carnivores
Famille :	Félidés
Genre :	Felis
Nom latin :	*Felis bengalensis*
Couleur :	Variée : brun doré à fauve, avec taches et rayures bien marquées
Longueur :	90 cm
Poids :	Jusqu'à 7 kg
Habitat :	Régions boisées
Localisation :	Inde du Nord, Tibet, Népal, Chine, Malaisie, Indonésie

CHAT D'IRIOMOTE

Type :	Carnivores
Famille :	Félidés
Genre :	Felis
Nom latin :	*Felis iriomotensis*
Couleur :	Brun foncé, avec taches et rayures noires
Longueur :	80 cm
Poids :	3,5 kg
Habitat :	Forêt dense
Localisation :	Île d'Iriomote, au sud-ouest du Japon

CHAT ROUGEÂTRE (RUBIGINEUX)

Type :	Carnivores
Famille :	Félidés
Genre :	Felis
Nom latin :	*Felis rubiginosus*
Couleur :	Brun-jaune avec des taches brunes
Longueur :	70 cm
Poids :	1 à 2 kg
Habitat :	Forêt, herbages, broussailles
Localisation :	Inde du Sud, Sri Lanka

CHAT À TÊTE PLATE

Type :	Carnivores
Famille :	Félidés
Genre :	Felis
Nom latin :	*Felis planiceps*
Couleur :	Brun rougeâtre, plus pâle au ventre, avec des rayures noires et blanches sur le front et la tête
Longueur :	70 cm
Poids :	5 à 8 kg
Habitat :	Basses plaines, marais et rives des cours d'eau
Localisation :	Sumatra, Bornéo, Malaisie

CHAT PÊCHEUR (VIVERRIN)

Type :	Carnivores
Famille :	Félidés
Genre :	Felis
Nom latin :	*Felis viverrina*
Couleur :	Brun rougeâtre, avec de grandes taches noires
Longueur :	1,10 m
Poids :	Jusqu'à 9 kg
Habitat :	Marais et zones humides
Localisation :	Inde, Sri Lanka, Malaisie, Indonésie

Chat-léopard avec ses petits.

De la taille d'un chat domestique, le chat-léopard se rencontre sur une grande partie de l'Asie du Sud-Est. Malgré leurs différences de couleur et de taille, ils ont en général une fourrure blanche, gris pâle ou jaunâtre, marquée par des taches et des rayures noires. La queue est courte, la tête petite et ronde et joliment soulignée de bandes noires et blanches. On a identifié plusieurs sous-espèces dans les îles de leur aire de répartition.

Le chat-léopard, qui doit évidemment son nom à son pelage tacheté, occupe un habitat très diversifié, qui va des forêts denses aux broussailles des régions montagneuses. Il se nourrit principalement de petits rongeurs et d'oiseaux. Les plus gros d'entre eux sont assez puissants pour s'attaquer aux petits cervidés. Il vit en solitaire et ne rencontre ses congénères que pour l'accouplement. La femelle donne naissance à 2 ou 3 chatons, qu'elle élève dans une tanière pendant près d'un mois avant leur sortie. Bien qu'ils soient protégés dans certaines régions, plusieurs milliers d'entre

Chat pêcheur (viverrin)

Chat d'Iriomote

Chat rougeâtre (rubigineux)

Où vivent-ils ?

eux sont massacrés chaque année pour leur magnifique fourrure, notamment en Chine. Le chat d'Iriomote ressemble au chat-léopard mais possède des membres plus courts et une fourrure plus sombre. Très protégé en raison de sa rareté (100 environ), il ne vit que dans les forêts luxuriantes d'Iriomote, une petite île du groupe des Ryuku au sud du Japon. Plus petit que le chat-léopard ou le chat d'Iriomote, le chat rougeâtre a un pelage gris-brun, marqué de rayures et de taches pâles brun sombre sur tout le corps, et de rayures plus foncées ou noires sur la tête et le front. En Inde du Sud, il occupe les plaines herbeuses et les broussailles, au Sri Lanka les forêts. Il se repose pendant la journée et sort la nuit pour chasser rats, souris, chauves-souris et autres petits mammifères, ainsi que des oiseaux. Le chat à tête plate, également de petite taille, possède une tête aplatie et pointue au front

marqué de rayures blanches, un long corps, une queue courte et effilée et des membres courts. Sa fourrure va du brun-rouge au gris argenté, plus pâle au ventre. Il vit à proximité des rivières et des marais, se nourrissant de poissons, de grenouilles et de serpents ainsi que de petits rongeurs et d'oiseaux qu'il chasse de nuit. Le chat pêcheur, le plus gros de ce groupe de félins, est un solide animal aux membres courts et à la queue épaisse et trapue. Sa fourrure est de couleur brun-rouge, fortement marquée de taches brunes ou noires qui se fondent en rayures sur les épaules, le cou et la face. On le trouve généralement près des cours d'eau, où il a l'habitude de pêcher les poissons en les sortant d'un coup de ses pattes antérieures, aux doigts légèrement palmés. Il se nourrit de reptiles, d'oiseaux et de rongeurs lorsqu'il se trouve en terrain sec.

Le chat-léopard se trouve largement dans toute l'Asie, de l'Inde de l'Ouest au sud de la Chine et de l'est de la Chine à la Mandchourie, au sud de la Malaisie, à Bornéo et dans les Philippines. Le chat d'Iriomote ne se rencontre que dans l'île d'Iriomote, une île japonaise située à l'est de Taïwan, et le chat rougeâtre se limite au sud de l'Inde et au Sri Lanka. Le chat à tête plate est présent dans la péninsule malaise, à Sumatra et Bornéo. Le chat pêcheur habite dans le sud de l'Inde et au Sri Lanka, en Birmanie, au Bangladesh, en Thaïlande, à Java et à Sumatra.

	1. Chat pêcheur
	3. Chat à tête plate
	1. Chat d'Iriomote
	2. Chat-léopard
	3. Chat rougeâtre

QUELQUES FAITS

Ces cinq espèces de chat, les *Prionailurus* tous proches cousins, se répartissent dans différentes régions de l'Asie du sud. Le chat-léopard, presque aussi gros qu'un chat domestique, en forme la souche tandis que le chat de l'île d'Iriomote, au sud du Japon, en est une variante locale à fourrure sombre. Le chat rougeâtre et le chat à tête plate appartiennent à une sous-espèce un peu plus petite alors que le chat pêcheur apparaît comme le géant du groupe.

Chat-léopard

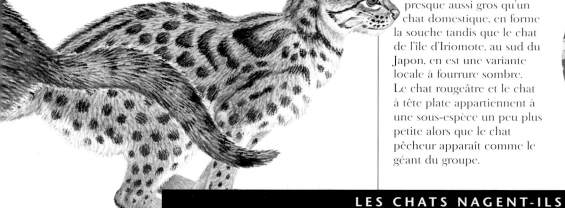

Chat à tête plate

LES CHATS NAGENT-ILS ?

Le chat domestique, l'espèce qui nous est la plus familière, semble détester l'eau et l'éviter même autant qu'il le peut. Il existe cependant plusieurs espèces de chats vivant près des lacs, des rivières et des torrents qui mangent du poisson et n'hésitent pas à entrer dans l'eau pour pêcher. Ils préfèrent toutefois demeurer dans les eaux peu profondes proches des rives, d'où ils attrapent les poissons avec leurs pattes. Seuls des mammifères spécialement adaptés à la nage,

comme les loutres et les phoques, peuvent véritablement rivaliser de vitesse avec les poissons. Tous les mammifères savent nager d'instinct, même s'ils n'aiment pas forcément cela, et les chats ne sont pas une exception. Cependant, leur fourrure n'est pas imperméable et ne les protège pas des eaux souvent glacées des torrents de montagne. Ce n'est certainement pas une bonne idée que de jeter votre chat à l'eau pour savoir s'il sait nager.

Chat pêcheur de Malaisie.

QUELQUES AUTRES PETITS FÉLINS D'ASIE

On ne sait pas grand-chose de ces cinq espèces de chats de l'Asie du Sud et du Sud-Est.

INFORMATIONS

CHAT DORÉ D'ASIE

Type :	Carnivores
Famille :	Félidés
Genre :	Felis
Nom latin :	*Felis temmincki*
Couleur :	Variée : du brun doré ou rougeâtre au gris, avec des rayures noires sur la tête
Longueur :	1,30 m
Poids :	6 à 11 kg
Habitat :	Forêt, broussailles des plateaux
Localisation :	Népal et Tibet, est de la Chine du Sud, Malaisie, Sumatra

CHAT BAI

Type :	Carnivores
Famille :	Félidés
Genre :	Felis
Nom latin :	*Felis badia*
Couleur :	Brun rougeâtre, avec des rayures sombres sur la tête
Longueur :	1 m
Poids :	2 à 3 kg
Habitat :	Lisière des forêts tropicales
Localisation :	Bornéo

CHAT DE JUNGLE

Type :	Carnivores
Famille :	Félidés
Genre :	Felis
Nom latin :	*Felis chaus*
Couleur :	Variée : brun rougeâtre à gris sable, rayures noires sur les membres antérieurs, la tête et la queue -
Longueur :	1 m
Poids :	Jusqu'à 13,5 kg
Habitat :	Forêts, marais, zones humides
Localisation :	Moyen-Orient, Asie Mineure, Inde, Sri Lanka, est de la Malaisie

CHAT DE PALLAS

Type :	Carnivores
Famille :	Félidés
Genre :	Felis
Nom latin :	*Felis manul*
Couleur :	Gris ou jaune pâle, avec des rayures noires sur la tête et la queue
Longueur :	80 cm
Poids :	3 à 5 kg
Habitat :	Désert, steppe, plaines rocheuses
Localisation :	Asie Mineure et côte de la mer Caspienne, est du Tibet et sud de la Chine

CHAT DE BIET

Type :	Carnivores
Famille :	Félidés
Genre :	Felis
Nom latin :	*Felis bieti*
Couleur :	Brun ou gris-jaune, avec des taches et des rayures pâles
Longueur :	1 m
Poids :	5 kg environ
Habitat :	Semi-désert, broussailles
Localisation :	Est du Tibet, sud de la Chine

Chat de Pallas

Le chat doré d'Asie est légèrement plus gros que son cousin d'Afrique (pages 34-35) et peut avoir un pelage de n'importe quelle couleur entre le brun doré et le gris terne. Sa tête s'agrémente de taches et de rayures sombres bien marquées tandis que le corps est soit légèrement tacheté soit uni. Ce chat vit dans les forêts et sur des terrains rocheux, où il chasse oiseaux, souris, rats, lièvres et petits cervidés. Il s'aventure souvent sur les terres cultivées et à proximité des fermes, où il dévore poulets, chèvres, moutons et même jeunes buffles. La femelle a généralement une portée de 2 ou 3 chatons.

Le chat bai, également appelé chat rouge de Bornéo, se rapproche du chat doré mais il est beaucoup plus petit et semble exister avec deux couleurs de pelage, l'un épais et rougeâtre, rayé de noir sur la tête et le front, l'autre beaucoup plus pâle. On le trouve sur l'île de Bornéo, dans les zones rocheuses des régions de forêts épaisses.
Le chat de jungle vit dans les déserts tropicaux, les broussailles, les plaines herbeuses, les

Chat doré d'Asie

Chat de Pallas

Chat de jungle

Où vivent-ils ?

roselières et les forêts. Plus gros et plus lourd que le chat domestique, il peut prendre des couleurs très variées mais se rencontre avec un pelage gris ou brun, à peine rayé de noir sur la queue et les membres. Son front est sillonné de bandes sombres et ses oreilles ornées d'une petite touffe semblable à celle du lynx. La plupart ont une fourrure hirsute et à longs poils, rappelant celle des chats persans. La femelle a une portée de 3 ou 4 chatons, qu'elle nourrit de lézards, d'oiseaux, de lièvres, de rongeurs et de petits cervidés. Peter Simon Pallas, un naturaliste allemand en exploration à proximité de la mer Caspienne il y a plus de 220 ans, a découvert ce petit félin appelé désormais « chat de Pallas » ou « manul ». Ce chat à longs poils gris-brun et au pelage rayé sur la tête et la queue, vit dans les broussailles et les prairies semi-désertiques, où il chasse les oiseaux et les petits

mammifères. Chaque portée comprend de 5 à 6 chatons. Le chat de Biet, ou du désert chinois, peuple les prairies, les broussailles et certaines régions semi-désertiques de la Chine. Le corps gris-brun, avec quelques taches légères sur les flancs, sa tête et sa queue sont marquées de rayures légères. Il possède des oreilles à touffe.

Chat doré d'Asie

QUELQUES FAITS

Le chat doré d'Asie, très semblable au chat doré d'Afrique, est à l'évidence un de ses proches cousins, à tel point que certains zoologues pensent qu'il appartient à la même espèce. En revanche, le chat bai ne représente sans doute qu'une sous-espèce plus petite du chat doré, isolé sur l'île de Bornéo. Le chat de jungle, le chat de Pallas et le chat de Biet semblent avoir évolué de manière indépendante.

Le chat doré d'Asie se répartit dans des habitats très diversifiés, du Népal au Tibet, au sud-est de la Chine, en Thaïlande, au Cambodge, en Malaisie et à Sumatra ; le chat bai vit à Bornéo ; le chat de Pallas occupe une ceinture allant de l'est de la mer Caspienne et du nord de l'Iran au centre de la Chine. Territoire du chat de jungle : de l'Égypte et du Moyen-Orient au sud de la Russie, en Inde, au Sri Lanka, en Birmanie, en Malaisie et en Thaïlande jusqu'au sud-ouest de la Chine. Le chat Biet ne se trouve que dans l'ouest de la Chine jusqu'au nord et la Mongolie.

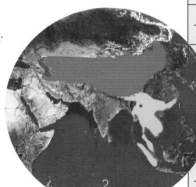

1

2

	1. Chat de jungle
	1. Chat de Biet 2. Chat de Pallas
	1. Chat bai 2. Chat doré d'Asie

LES ESPÈCES DES ÎLES

Certaines races de chats occupent de très vastes régions, pouvant s'étendre par exemple du Moyen-Orient à la Chine, tandis que d'autres populations sont limitées à une seule île, grande comme Bornéo ou plus petite comme celle d'Iriomote. Ces petits félins, qui existent depuis plusieurs millions d'années, occupaient autrefois un habitat assez semblable, que les changements climatiques ont probablement morcelé en plusieurs dizaines de zones distinctes, abritant chacune sa propre population. Cela ne les a toutefois pas empêchés de se croiser, ce qui explique le peu de différences qui existe entre les individus quant à la taille et à la couleur du pelage. Les zoologues les considèrent comme formant chacun une subdivision de la même espèce.
Lorsqu'une espèce s'installe sur une île pour la première fois, seuls quelques individus survivent, dont les descendants s'accouplent entre eux. Les conditions de vie sur une petite île peuvent favoriser les plus petits animaux ou ceux dont le pelage est le plus sombre, ou encore ceux qui ont le moins de taches ou des queues plus courtes.

Chat de jungle.

Chat de Biet

Chat bai

LES CHATS DOMESTIQUES

*Nos chats de compagnie, originaires d'Afrique,
vivent aujourd'hui dans le monde
entier et se sont totalement adaptés
à la vie avec les hommes.*

INFORMATIONS

Type :	Carnivores
Famille :	Félidés
Genre :	Felis
Nom latin :	*Felis libyca domestica*
Couleur :	Variable
Longueur :	80 cm
Poids :	3,5 kg
Habitat :	Maisons, jardins, fermes
Localisation :	Monde entier

QUELQUES FAITS

Les chats domestiques communs
appartiennent à la même espèce.
Leurs origines remontent aux
chats sauvages d'Afrique,
domestiqués par les Égyptiens il y
a près de 3 500 ans et introduits
ensuite dans toute l'Europe.
Appartenant à l'espèce *Felis*
libyca (page 32), ils forment la
sous-espèce dite *domestica*.
Si la plupart d'entre eux ne
ressemblent plus guère à leurs
ancêtres, les chats domestiques
sont encore très semblables aux
chats sauvages et à leurs cousins
les petits félins d'Europe, d'Asie
et d'Afrique. Ces liens de parenté
étroits ont permis de fréquents
croisements entre les chats
domestiques et les chats sauvages.
Ces métissages ont produit les
différentes variétés de chats
domestiques que nous
connaissons aujourd'hui.
Si la plupart de ces races sont
issues de croisements à l'état
naturel, il est possible
d'« améliorer la race » en
contrôlant les croisements, c'est-
à-dire en s'assurant que seuls des
chats spécialement sélectionnés
s'accouplent. Les chats de race
siamoise, birmane et autres à
poils longs sont ainsi obtenus.

Chat persan rouge, une race sélectionnée.

Il y a trois ou quatre milliers d'années
que les paysans cultivent blé et autres
céréales, et qu'ils entreposent les grains
dans des greniers, une partie servant à
l'alimentation, une autre étant conservée
pour être semée l'année suivante. Ces
céréales attiraient évidemment les rats et
les souris, qui mangeaient et salissaient les
graines de leurs déjections. Bien nourri, un
couple de rongeurs peut se multiplier en
quelques semaines et avoir plusieurs
centaines de descendants.
En les nourrissant et en leur permettant de
mettre bas leurs chatons en toute sécurité,
les paysans de l'époque attirèrent quelques
chats sauvages près de leur maison et de
leurs greniers afin qu'ils chassent les rats
et les souris qui détruisaient les récoltes. Cela
ne coûtait pas grand-chose aux agriculteurs et
les chats changeaient à peine leur mode de vie
– sinon qu'ils durent apprendre à chasser leurs

Chat domestique avec sa proie.

proies à l'intérieur et à ne pas s'effrayer de la présence des hommes.
Les petits qu'eurent ces chats des greniers et jardins s'habituèrent à leur tour à l'homme. Il est important de jouer avec les chatons domestiques pour qu'ils continuent d'accepter les hommes et restent ces agréables animaux de compagnie que l'on connaît.

CHATS SACRÉS

Les anciens Égyptiens vénéraient leurs chats, représentants de leur déesse Bastet. Les chats étaient pour eux un exemple de sagesse et également un animal utile pour attraper les souris. Lorsque le chat d'un favori mourait, son corps était embaumé, entouré de bandelettes et transformé en momie avant d'être enterré dans la tombe de la famille.

CHATS DOMESTIQUES

(voir la photo et la silhouette ci-dessous)

1	Chat tabby		de tortue
2	Chat tortie et blanc	7	Chat noir
3	Chat	8	Chat tabby argent-gris
4	Chat persan	9	Chat siamois
5	Chat birman	10	Chat noir et blanc
6	Chat écaille		

Domestiqués mais sauvages

Les chats domestiques, même apprivoisés et câlins, conservent un peu de leur caractère sauvage. Leur comportement quotidien nous permet souvent de reconnaître encore certaines des habitudes et des modes de vie qui ont permis à leurs ancêtres de survivre.
Le chat domestique possède un territoire mais, au lieu d'être en montagne ou en forêt, c'est la maison où il demeure, et peut-être un ou deux jardins voisins, qui en forment les limites. Si d'autres chats y pénètrent, son « propriétaire » adopte une attitude défensive et peut même attaquer. Dans la nature, les mâles comme les femelles aspergent les arbres ou les rochers de leur urine pour avertir les autres chats de leur présence. Il arrive que le chat domestique, et surtout le mâle, reproduise ce comportement et laisse son odeur sur les pieds d'une table ou des rideaux.
On castre généralement les chats domestiques mâles (c'est-à-dire qu'un vétérinaire enlève leurs organes de reproduction) pour qu'ils soient moins agressif. On retire de même les ovaires des

vous y intéresser, elle n'hésitera pas à les déplacer vers une autre tanière en les transportant dans sa gueule. Elle peut même les cacher afin que vous ne les voyiez plus jusqu'à leur première sortie, quatre à cinq semaines plus tard. Les chats, même bien nourris, continuent à chasser les oiseaux et les petits mammifères. Une chatte peut parfois rapporter une souris à moitié morte dans la maison puis, en poussant un doux miaulement, la relâcher

Chat tricolore – écaille, noir et blanc.

pour s'amuser avec elle. Dans la vie sauvage, elle aurait rappelé ses chatons autour d'elle pour leur apprendre comment chasser et tuer seuls.
Les chats domestiques négligés ou

Un chat tricolore – écaille, noir et blanc – et son maître faisant la sieste.

femelles pour les stériliser et les empêcher d'avoir des chatons non désirés. Lorsqu'elles sont prêtes à l'accouplement, les femelles attirent les mâles sur leur territoire par leur odeur et en les appelant bruyamment. Puis elle met bas sa portée de chatons dans un endroit discret et le plus possible à l'écart des hommes, même de ses maîtres. Si vous semblez trop

abandonnés par leurs propriétaires redeviennent facilement sauvages (voir page 33). À moins d'être trop gros ou paresseux, ils sont tout à fait capables de s'occuper d'eux-mêmes, en se nourrissant de rats, souris et petits oiseaux, en fouillant les poubelles ou en allant dans d'autres maisons déployer leur charme pour se faire accepter.

APPRIVOISER LES CHASSEURS

Il est possible d'apprivoiser des lions et des tigres à condition qu'ils aient été capturés dès la naissance et nourris de la main de l'homme. Ils peuvent alors faire figure d'animaux domestiques tant qu'ils n'atteignent pas l'âge adulte. Un lion de quelques mois seulement est déjà un animal pourvu d'une puissante mâchoire et de dents très pointues. Une simple griffure ou une morsure « pour jouer » d'un jeune lion peut blesser sérieusement ; et un jeune lion contrarié, effrayé ou frustré est capable de tuer.

Les plus petits des grands félins, tels que les panthères et les jaguars, ont été apprivoisés et

utilisés pour la chasse. À l'époque médiévale, les rois et les riches propriétaires d'Afrique, du Moyen-Orient, de l'Inde et de Chine conservaient des meutes de félins, entraînés dès leur naissance à vivre avec les hommes, à se promener en laisse et à chasser. Les lions et les tigres s'habituent également à vivre en cage dans un zoo ou au cirque. Il y eut un temps où ces grands fauves attiraient la foule des curieux, qui n'avaient jamais encore rien vu de tel. Les gens payaient pour voir des spectacles de dressage, où un dompteur avec fouet et uniforme faisait exécuter des pirouettes à ces animaux « prétendument » sauvages.

DES FÉLINS ET DES HOMMES

Si les chats sauvages ont toujours tué pour vivre, ils ont aussi été beaucoup chassés par les hommes pour le plaisir et pour leur fourrure.

Il y a plusieurs milliers d'années, lorsque les hommes primitifs chassaient en bande dans les forêts et les plaines, ils ont souvent dû rencontrer des grands félins – lions, léopards, tigres, jaguars et panthères – et admirer sans doute avec envie la manière dont ils traquaient et tuaient leurs proies. Disposant d'une meilleure vision et d'une meilleure ouïe, plus rapides dans la poursuite, plus habiles à tuer grâce à leurs puissantes mâchoires et leurs dents effilées, les fauves étaient évidemment bien plus efficaces et bien mieux armés que les hommes. Se disputant souvent les mêmes proies, les hommes et les grands félins apprirent aussi

à coopérer. Un groupe d'hommes, à l'exemple d'une troupe de hyènes ou de chiens, dirigeait le gibier vers un groupe de lions et attendait que les lions aient fini leur repas pour prendre leur part de viande. C'est encore cette méthode qu'employaient récemment certains broussards africains pour obtenir de la viande fraîche. Les grands félins apprirent vite que les hommes, une proie tentante et apparemment facile, étaient d'une espèce redoutable et fort capables de se défendre. Nous ne savons pas exactement quand les hommes primitifs apprirent à tuer les grands prédateurs mais il est fort probable qu'ils aient entrepris de les chasser pour défendre leur maison et leur famille.

ATTAQUER LES TROUPEAUX

C'est au néolithique (l'âge de pierre), il y a quelques milliers d'années, que les hommes ont commencé à se regrouper en villages, à cultiver les terres, à faire pousser des céréales et à élever des troupeaux (moutons, chèvres ou porcs). Les félins, grands et petits, ont alors trouvé plus facile de s'attaquer aux troupeaux domestiques que de chasser les mammifères sauvages, et il a fallu que les hommes s'organisent pour garder les troupeaux pendant la journée et les enfermer dans un endroit clos la nuit. Ces bergers, qui devaient affronter les lions, les tigres ou les léopards avec de simples épieux pour protéger le bien de la communauté, devenaient des héros lorsqu'ils sortaient vainqueurs du combat. Cette lutte acharnée entre les éleveurs et les prédateurs se poursuit aujourd'hui encore dans les régions où sévissent des félins.

CHASSE SPORTIVE AUX GRANDS FAUVES

Les hommes ont souvent chassé pour le plaisir. C'était d'ailleurs une tradition chez les rois africains et les maharadjahs indiens que d'élever des lions, des tigres ou des léopards en captivité afin de pouvoir les relâcher

Tête de tigre empaillée.

plus tard dans la brousse et de partir à leur poursuite à la tête d'une véritable petite armée de chasseurs. Les gens préfèrent aujourd'hui faire des safaris organisés pour observer et photographier les animaux sauvages plutôt que de les tuer.

La fourrure et la mode

À l'époque préhistorique, bien avant que ne soit inventé le tissage, les hommes qui vivaient dans les régions du nord de l'Europe portaient pour tout vêtement les peaux des bêtes qu'ils avaient tuées afin de se protéger du froid. Par la suite, les guerriers ont trouvé que le fait de revêtir ces peaux d'ours, de léopards et de lions semblait leur transmettre le courage de ces animaux et pouvait aussi effrayer leurs ennemis. Le goût de porter de belles fourrures pour agrémenter ses vêtements est venu plus tard et, aujourd'hui, très peu de gens utilisent la fourrure pour avoir chaud. Les plus belles fourrures, et donc les plus chères, sont celles de léopards, de panthères, d'ocelots, de chats marbrés ou de petits chats sauvages tachetés. Cet engouement pour la fourrure entraîna la destruction de plusieurs millions de félins et la quasi-extinction des espèces ou sous-espèces les plus demandées. L'industrie de la fourrure permettait alors de vivre à des milliers de gens, depuis les trappeurs et les chasseurs jusqu'aux commerçants en peausseries, aux tailleurs et aux couturiers. Certains condamnent aujourd'hui les massacres des animaux sauvages pour leur fourrure et le seul plaisir de quelques-uns, tandis que d'autres trouvent plutôt positif que cela permette aux gens de travailler. Et vous, qu'en pensez-vous ?

Peaux de tigres chez un fourreur.

LES FÉLINS EN MAGIE ET EN MÉDECINE

En Grande-Bretagne, comme on croyait que les chats des sorcières étaient les compagnons du diable, on en utilisait différentes parties dans des recettes de magie ou des potions médicinales. On a pensé que la peau d'un léopard ou d'une panthère transmettait à son détenteur une partie des qualités de l'animal (courage, agilité, etc.), on pense encore dans quelques pays que des éléments de leur corps sont des médicaments puissants. Actuellement, en Chine et dans tout l'Extrême-Orient, on peut acheter sur les étals des marchés des morceaux de tigre. Ces ingrédients servent à fabriquer des médicaments censés soigner toutes sortes de maladies, des rhumatismes à l'indigestion. Efficaces ou pas, des centaines de tigres sont massacrés pour cela.

Le tigre « magique ».

GLOSSAIRE

Sauriez-vous identifier les espèces représentées ?
(réponses en bas de page).

Adaptation	Changer de mode de vie pour augmenter ses chances de survie
Agressif	Qui attaque sans être provoqué
Ancêtres	Parents, grands-parents et générations précédentes
Braconnier	Chasseur sans autorisation
Broussailles	Type de végétation composée principalement de buissons
Carnivore	Animal qui se nourrit essentiellement de la viande d'autres animaux
Charogne	Animal mort, dont la viande est avariée ou en putréfaction
Conservation	Action de sauvegarder des espèces, généralement en protégeant leur habitat
Crinière	Ensemble des longs poils poussant sur le cou et les épaules
Densité	Nombre d'animaux ou de plantes occupant une zone déterminée
Documents fossiles	Série de fossiles d'âges différents permettant de savoir comment un groupe particulier d'animaux s'est modifié avec le temps
Dominant	L'animal le plus important d'un groupe, capable de commander ses congénères
Espèce	Groupe de plantes ou d'animaux possédant un caractère particulier en commun les distinguant des autres d'un même genre
Forêt d'arbres caduques	Forêt dont les arbres perdent leurs feuilles chaque saison
Fossile	Vestiges d'une plante ou d'un animal anciens conservés dans la pierre
Genre	Ensemble d'animaux ou de plantes appartenant à différentes espèces très proches et partageant une caractéristique commune
Habitat	Zone dans laquelle vit une population d'animaux ou de plantes
Haret	Chat domestique redevenu sauvage
Herbivore	Animal se nourrissant essentiellement de végétaux
Nocturne	Qualifie les animaux qui vivent ou chassent la nuit
Panthère	Autre nom du léopard ainsi que du puma et du couguar d'Amérique du Nord
Passerelle de Béring	Bande de terres émergées ayant permis autrefois de passer à sec entre le nord de l'Asie et l'Amérique du Nord
Pedigree	Généalogie d'un animal de race
Période de gestation	Période comprise entre la nidation et la mise bas chez les animaux vivipares
Population	Ensemble des individus d'une espèce vivant dans une zone particulière, parfois séparés d'autres populations de la même espèce

À partir du haut : lion, chat domestique, chat sauvage de l'Inde et ses petits, jaguar

Prédateur	Animal qui chasse, tue et mange d'autres animaux
Rétractiles (griffes)	Capables de se rétracter à l'intérieur d'un gousset
Rongeur	Mammifère disposant de longues dents incisives coupantes, tel que la souris, le rat ou l'écureuil
Sous-espèce	Subdivision de l'espèce, regroupant généralement des animaux ou des plantes vivant dans une région particulière et présentant de nettes différences avec d'autres populations de la même espèce ; synonyme de race
Système digestif	Organes d'un animal dans lesquels la nourriture est digérée et absorbée (bouche, gorge, estomac, intestins, etc.)
Testicules	Organes sexuels mâles produisant le sperme fertilisant l'œuf de la femelle
Toundra	Régions froides et sèches, notamment de l'Arctique, où pousse une maigre végétation
Traquer	Suivre lentement et silencieusement une proie
Utérus	Partie des organes reproducteurs de la femelle dans laquelle se développe l'embryon
Vermine	Petits rongeurs tels que les souris et les rats qui détruisent et endommagent les récoltes
Vivipare	Animal dont les petits naissent déjà développés

Adresses utiles	WWF France, 151, boulevard de la Reine, 78000 Versailles Tél. : 01 39 24 24 24 ; Fax : 01 39 53 04 46 ; Minitel : 3615 WWF

WWF Belgique, 608, chaussée de Waterloo / Waterloosteenweg, 1050 Bruxelles - Tél. : 00 32 2 347 30 30 ; Fax : 00 32 2 344 05 11

WWF Suisse, Ch. de Poussy 14, 1214 Vernier
Tél : 00 41 22 939 39 90 ; Fax : 00 41 22 341 27 84

WWF GB, Panda House, Weyside pPark, Cattershall Lane, Godalming, Surrey GU7 1XR - Tél. : 00 44 1483 426 444 ; Fax : 00 44 1483 426 409

Cat Specialist Group, World Conservation Union, route des Macherettes 1172, Bougy, Suisse - Tél./Fax : 00 41 21 808 6012

À partir du haut : panthère nébuleuse, chat sauvage d'Écosse, lynx, tigre

INDEX